KB213543

딥스테이트

-영혼의 계약-

발 행 | 2025-02-07
저 자 | 최영환
펴낸이 | 한건희
펴낸곳 | 주식회사 부크크
출판사등록 | 2014.07.15(제2014-16호)
주 소 | 서울 금천구 가산디지털1로 119, A동 305호
전 화 | 1670 - 8316
이메일 | info@bookk.co.kr
ISBN | 979-11-419-8314-7
www.bookk.co.kr

딥스테이트

[영혼의 계약]

최영환 지음

목차

<할아버지의 일기장>

1919년, 파리 근교 베르사유 궁전, 빛나는 샹들리에 아래로 화려한 드레스와 턱시도를 입은 이들로 넘쳐났다. 전쟁이 끝났다는 기념으로 열린 무도회는 그야말로 황금빛의 축제였다. 벽난로의 불빛이 흔들릴 때마다 그림자가 길게 늘어지며, 마치 그 공간이 잔잔히 살아있는 듯했고 상류층의 해맑은 웃음소리, 유리잔이 부딪치는 소리, 그리고 플로어를 채운 화려한 춤 선이 그곳을 집어삼키고 있었다. 여자들은 붉은 깃털 장식과 금빛 자수가 새겨진 드레스. 남자는 빳빳한 검은 정장과 넥타이. '탁', '탁', '탁'. 하이힐의 리듬감이 멀리서 들려왔다.

사이먼 그레이의 할아버지, 솔로몬 그레이. 초대장에 자신의 이름은 없었으나, 단순히 "오래된 친구의 호의"라며 우편함에 남겨진 메모만 확인했을 뿐. 그는 이미 불길함을 느낀 지 오래다. 화장실 칸막이 안에 웅크리고 앉아, 낡고 뻣뻣한 회색 코트를 팔로 감싸 쥔 채 숨을 헐떡였다. '쌔액', '쌔액' 얕은 숨소리가 좁은 공간에 울렸고, 두 시간이 지나자 차가운 대리석 타일의 습기가 그의 무릎을 타고 올라와 뼛속까지 스며드는 듯했다. 그는 숨을 죽이려 했지만, 폐가 제멋대로 요동치며, 목덜미까지 덮쳐왔다.

그에게 저 너머의 세계는 한 편의 찬란한 악몽과도 같은 오케스트라였다. 촤르륵— 쾅! 바이올린과 피아노의 음이 한껏 어우러지며, 한 여성의 웃음소리가 문틈을 비집고 들어와 날카롭게 흔들렸다.

그는 손을 뻗어 코끝에 송골송골 맺힌 땀을 닦아내며, 이 상황이 얼마나 미친 짓인지 되뇌었다. “누가 보냈는지 모르는 우편을 보고 여기까지 오다니. 이곳은 너무 위험해. 가족이 걱정되는군.” 그에게 허락된 시간은 그리 많지 않았다. “조용해지면 움직인다. 지금은 기다리는 거야.”

베르사유 조약이라는 명분 뒤에 숨겨진 또 다른 음모, 전쟁이 끝난 뒤에도 여전히 이어지고 있는 그림자 속의 거래를 확인하기 위해, 초대장 없이 잠입한 이 무도회는 그의 첫 번째이자 마지막 단계가 될지도 모른다.

그는 조심스레 자세를 바꿨다. 오른쪽 다리가 찌릿찌릿할 때마다 코트 주머니 속에 감춰둔 작은 은 단도가 허벅지를 지그시 눌렀다. 그때, 끼익— 문밖에서 갑작스레 들려오는 소리에 허리를 숙이고, 대변기 칸막이 틈으로 그림자 발끝에 달린 구두의 광택이 번뜩거렸다. 그들은 분명, 이 궁전의 경비일 것이다. 짙은 군복의 질감이 흐릿해지며, 그의 귓가에는 다시 무도회 음악이 흘러들어왔다. 따라라라, 따라란— 차르르 흐르는 피아노의 선율이 하염없이 흘러갔다. 그리고 새벽 1시.

화려했던 재즈 음악도, 무도회장을 가득 채우던 웃음소리도, 심지어 바닥을 때리던 하이힐의 규칙적인 리듬조차 거짓말처럼 멈췄다. 쾅, 쾅, 쾅. 그의 심장만이 유난히 고동치며, 찰칵. 솔로몬은 조심스럽게 칸의 문을 밀었다. 경첩이 아주 미세하게 삐걱거렸다. 몸을 낮추어 신속하게 무도회장으로 걸어가던 중, 찬란했던 조명이 꺼진 무도회장은 거대한 폐허 같았다. 환하게 빛나던 샹들리에는 어둠 속에서 은은한 형태만 남아, 천장의 유령처럼 살며시 모습을 감췄고, 코끝에 맴도는 귀족의 향수만 느껴질 뿐이었다. 수십 명이 흩뿌린 달콤하고 중후한 향기. 그러나 그것마저도 점점 희미해지고 있었다.

조심스럽게 발을 내딛는 순간마다, 살짝 고개를 들어 무대 쪽을 바라보았다. 무대는 높은 플랫폼 위에 덩그러니 홀로 놓여있었다. 신속하게 걸음을 옮겼다. 탁, 탁, 탁. 발소리가 너무도 크게 울렸다. 숨을 다시 죽이고, 가슴에 두 손을 모으듯 붙잡고 무대 위로 올라서니, 텅 빈 홀의 전경이 한눈에 들어왔다. 그리고 무대 뒷벽으로 조심스레 다가갔다. 손가락 끝으로 커튼을 살며시 열어, 벽의 표면을 살며시 스쳤다. 스르르- 손바닥을 움직일 때마다 미세하게 느껴지는 거친 나뭇결. 그 순간, 뒤에서 작은 소리가 들렸다. 툭, 툭. 신발이 바닥을 스치는 소리. 아직, 누군가 있었다. 즉시 몸을 커튼 뒤에 숨어 벽으로 바짝 기댔다. 그 발소리는 가까워졌다가 사라지기를 반복했고, 고요 속에서 움직이는 그 작은 소음은 한없이 커다랗게 들렸다.

'보이지 않아.' 솔로몬은 입술을 꾹 깨물며 숨을 죽였다. 이내 자신의 등이 기댄 벽에 미세한 떨림이 느껴졌다. 끼익- 갑자기 벽이 뒤로 천천히 움직이더니, 원형으로 돌아가며 눈앞에 새로운 공간이 열렸다. 그는 천천히 고개를 기울이며 시선을 내렸다. 자신의 두 발 아래로 한 명만이 움직일 수 있는 좁디좁은 공간이 아래로 길게 쭉 뻗어 있었다. 그 계단은 흑단처럼 짙은 나무로 만들어져 있었고, 벽마다 일정한 간격으로 촛불들이 조용히 깜빡이고 있었다. 타닥, 타닥. 심지어 초가 타들어 가는 소리마저 고요 속에서는 선명히 들려왔다.

계단에 발을 내디뎠다. '여긴 도대체 어디로 연결되는 거지?' 계단을 울리는 굽의 소리가 유난히 크게 들렸고, 점점 촛불이 만들어낸 불빛의 테두리가 벽면을 따라 흐릿하게 흔들렸다. 손으로 벽을 짚으며 천천히 계단을 내려갔다. 따뜻한 촛불 아래, 벽의 질감은 마치, 뱀의 차가운 비늘같이 서늘하고 매끄러웠다. 3분쯤 지나서, 계단 끝에 다다랐을 때, 그 좁디좁은 복도는 뱀이 똬리를 튼 것처럼 구불구불했고, 그 끝과 끝이 보이지 않을 정도로 꽈배기처럼 꼬여있었다. 복도의 벽면이 살아 움직이는 듯, 빛을 머금고 꿈틀거렸다. 그리고 벽에는 불규칙한 돌출부와 홈이 패어있어 뱀의 비늘 같은 패턴을 만들어냈다. 어떻게 보면, 촛불은 두 눈동자처럼 벽의 틈에 심겨 있었고, 그 불빛은 간헐적으로 흔들리며 불길한 생명감을 불어 넣어주었다. 솔로몬은 몸이 얼어붙는 것만 같았다. 그러나 그는 천천히, 아주 천천히 발을 내디뎠다. 복도는 중간중간 갈라졌고, 그는 어느 쪽으로 가야 할지 본능에 의존할 수밖에 없었다. "마치 뱀이 날 잡아먹으려 입을 벌리고 있는 것 같잖아." 그의 이마에 땀이 맺히기 시작했다.

그러던 중, 복도의 끝자락에 단단해 보이는 거대한 문이 보였다. 다른 문들은 한쪽 문이거나, 장식도 없이 단조로운 구조였지만, 이 문만큼은 달랐다. 무거운 두 개의 나무판자로 이루어진 대문은 위압적인 존재감을 뿜어냈다. 솔로몬은 조심스럽게 문 앞으로 다가가 살포시 귀를 댔다.

문 너머에서는 낮고 거친 목소리가 들려왔다. 정확히 몇 명이 있는지 알 수는 없었지만, 대화가 오가는 소리가 희미하게 들렸다. 의식을 치르는 사제들마냥 나지막하게 읊조렸다. 그는 귀를 더 바짝 문에 붙였다.

"사악한 자가 우리에게 모든 것을 가져다줄 것이다."

"희생 없이는 도무지 길을 열 수 없다."

단어 하나하나가 마치 어둠 속을 뚫고 나오는 칼날 같았다. 솔로몬의 심장은 폭발할 것처럼 요동쳤고, 등골을 타고 땀이 흘렀다. 숨을 크게 삼키며 속으로 되뇌었다. '저 안에서 무슨 일이 벌어지고 있는 거지? 희생이라니….'

5분 정도 지났으려나. 솔로몬은 여전히 대문에 귀를 붙인 채 숨을 죽이고 있었다. 그러나 그의 귓가로 들려오는 소리는 점점 선명해졌다. "어리석은 자는 그의 마음에 이르기를 하나님이 없다 하도다. 그들은 부패하고 그 행실이 가증하니, 선을 행하는 자가 없도다."

그 음성은 평범한 기도처럼 시작했지만, 이질적인 무언가가 잔뜩 섞여 있었다. 무거운 단어들이 공기를 가르고, 벽에 스며들며 솔로몬의 온몸 구석구석을 옥죄는 것만 같았다.

"주기도문이 아니야. 이건… 무슨 의식 같은…"

목소리는 끊이지 않고 이어졌다. "여호와께서 하늘에서 인생을 굽어살피사, 지각이 있어 하나님을 찾는 자가 있는가 보려 하신즉."

"다 치우쳐 함께 더러운 자가 되고, 선을 행하는 자가 없으니 하나도 없도다."

솔로몬은 등줄기를 타고 흐르는 땀이 식어가며, 한껏 서늘하고 오싹했다. "이들은 대체 누구지? 무슨 짓을 꾸미고 있는 거야?" 숨을 들이켜는 순간, 또 다른 목소리가 들렸다.

"베르사유 조약은 6월 28일인가? 그렇다면, 영혼 계약은 언제 예정되었나." 목소리는 마치 드높은 천장에 닿아 되돌아오는 메아리처럼 울렸고, 낮고 비정한 톤이었다.

"1919년 7월 6일. 정확히 새벽 6시 6분."

"언제까지 그런 구닥다리 방식을 고집할 셈이지? 강압적이고 폭력적인 영혼 계약 따위는 시대에 뒤떨어졌어! 우리가 지난 수년 동안 프리메이슨의 잔재를 답습하며, 대중을 통제해 왔다는 걸 잊었나? 과학과 기술만으로도 충분해!"

"네가 말하는 과학과 기술이라는 게 뭐지? 기억 조작? 영혼 계약이야말로 신성하다. 육체는 물론이고, 영혼을 담보로 강력한 통제를 가능케 하지. 너희가 생각하는 기술 놀음과는 차원이 달라."

"신성? 유산?" 다른 목소리가 비웃으며 쏘아붙였다. "웃기지 마라. 그 신성함이란 게 대체 뭔지 아나? 과학과 기술은 야만적인 방식 없이도 가능하다. 그런 방식은, 대중이 더욱 신을 믿고 우리의 계획을 망가뜨릴 거야."

"신? 그들이 우리의 방법을 알고 있긴 한가. 방식은 이미 수백 년간 입증되었다. 영혼 계약은 그 누구더라도 내면까지 지배할 수 있지. 기술이 할 수 있는 건 겉모습뿐이야."

"웃기는 소리! 지금도 네메시스 안에서 얼마나 많은 이들이 그 폭력성을 두려워하고 있는 줄 아나?" 목소리가 갑자기 낮아졌지만,

그 안에 깃든 위압감은 뚜렷했다.

"기술에는 늘 결함이 있다. 언제든 복구되거나 저항이 생길 수 있지. 하지만 계약은 다르다. 영혼을 내어준 자는 영원히 우리에게 묶이지. 다시는 되돌릴 수 없지. 이것이 바로 네메시스가 그토록 강력한 이유다."

그들의 논쟁은 마치 독이 담긴 칼을 서로 주고받는 듯했고, 대화를 들은 순간, 입에 손을 갖다 댈 수밖에 없었다. 그리고 고개를 살짝 오른쪽으로 돌리자, 그의 눈에 또 다른 문이 들어왔다. 그 철문은 지금 대문에서 조금 떨어진 곳에 있었다. 빛이 없는 어둠 속에서도 문에 새겨진 뱀의 머리 장식은 선명히 드러나 있었다. 솔로몬은 주춤거리며 나무문에서 발을 떼어, 몇 발짝 다가서자 철문이 약간 열려 있는 것을 알아챘다.

"여긴 대체 뭐가 있는 거지?" 그는 자신도 모르게 입술을 지그시 깨물며, 조심스레 철문 안으로 들어갔다. 양옆으로 거대한 책장이 하늘 높은 줄 모르듯이 위로 뻗었고, 수많은 책이 빼곡히 꽂혀 있었던지라 오래된 고서의 냄새가 코를 강하게 찔렀다. 그리고 그 중앙에는 길고 넓은 테이블이 자리 잡고 있었다. 테이블 위에는 무수히 많은 문서와 안경 그리고 인장이 여기저기 흩어져 있었다.

솔로몬은 천천히 테이블 쪽으로 걸어갔다. 한 걸음 한 걸음 내디딜 때마다 바닥이 낮게 삐걱거렸다. 그의 손이 떨리며 테이블 위의 문서 더미를 살짝 건드렸다. 낡은 종이의 표면은 거칠었고, 곳곳에 남아 있는 잉크는 마치 피로 적힌 것처럼 짙고 불쾌했다. 문서 중 하나를 고르고, 선명히 적힌 표지에 얼굴을 바짝 들이댔다.

"TOP SECRET"

손을 덜덜 떨며, 서류철을 젖히자 내부에는 두 가지 계획이 상세히 적혀 있었다.

그는 급히 자신의 작은 메모장을 꺼내 들었다. 서류의 중요한 내용을 빠르게 적어 내려갔다. 한동안 그의 손은 멈추지 않았으나, 그의 신경은 언제 누군가가 들어올지 모른다는 공포감에 곤두서 있었다. 기록을 마치고 재빨리 코트 안 주머니에 깊숙이 집어넣었고, 다시 한번 뒤를 돌아보며 숨을 고르려는 순간, 멀리서 들려오는 발소리가 어둠 속을 가르고 있었다. 그의 눈은 철문으로 향했다. "들켰나…?"

옆에 보이는 오래된 벽장으로 몸을 꾸겨 넣었다. 비좁고 공기가 탁했다. 손을 조금만 움직여도 거미줄이 끈적하게 감기던 와중, 철문 앞에서 어둠을 가르는 횃불이 휘휙 움직였다. "거기 누구 있나? 방금… 무슨 소리를 들었는데. 누가 이 방을 열어놓은 거야? 하… 아무도 없나?" 사내는 혼잣말을 하듯 중얼거리며 횃불을 천천히 내렸다. 그리고 한 번 더 주변을 살피더니, 마침내 철문을 닫으며 중얼거렸다. "이 방은 항상 잠그고 다니라니까."

철문이 쾅 닫히고, 횃불의 불빛도 사라졌다. 놀란 가슴을 움켜잡고, 서서히 그곳을 빠져나가려는 순간, 또 다른 소리가 들려왔다. "의를 위하여 박해를 받는 자는 복이 있나니, 천국이 그들의 것임이라." 솔로몬은 순간 귀를 의심했다. 그리고 철문 쪽으로 몸을 기울여, 땀에 젖은 이마를 손바닥으로 훔치며, 조심스레 문을 열었다. 몇 발자국을 내디디며, 꾸불꾸불한 긴 복도를 지나던 참. "넌 누구지? 여기를 어떻게 온 거지!"

솔로몬은 소스라치게 놀라며 뒤를 돌아보았다. 아까 횃불을 든 사내가 열쇠 꾸러미를 들고 저 멀리 서 있었고, 불빛은 복도를 한순간에 일그러뜨리며 그의 형상을 어렴풋이 드러냈다. 잘 보이지는 않았지만, 사내의 눈빛은 짐승처럼 날카롭고, 입가에는 살짝 비틀린 미소가 서려 있었다. "여기가 어딘지나 알고 들어온 건가? 대답해!"

′뛰어… 지금 당장!′ 그는 머뭇거릴 틈도 없이 몸을 돌렸고, 아까 내려왔던 계단을 향해 내달렸다. 발소리가 복도를 크게 울렸다. 쿵, 쿵, 쿵. 사내의 고함도 등 뒤에서 터져 나왔다. “거기 서!”

솔로몬은 필사적으로 계단을 뛰어 올라갔다. 하필, 계단은 미끄럽기까지 했다. 몇 번이나 발을 헛디딜 뻔했지만, 아까 무대 위로 올라가야만 했다. 뒤에서 따라오는 사내의 발소리도 쿵, 쿵, 쿵. 자신의 심장 박동과 뒤엉켜, 마치 죽음이 자신을 바짝 쫓아오는 듯한 느낌이 들었다.

“네가 본 걸 후회하게 될 거야!”

파리의 거리는 5월의 무더운 바람 속에서도 기괴한 정적에 잠겨 있었다. 한적한 길목에서부터 주택까지는 보통 걸어서 30분 정도 걸리는 거리. 베르사유 조약이 열리기까지 단 3일, 세계는 긴장감으로 뒤덮였지만, 이 순간 솔로몬의 머릿속은 오직 살아남아야 한다는 본능만이 앞섰다. 숨이 턱 끝까지 차오르는 것도 아랑곳하지 않았다. 헐떡이는 호흡과 함께, 흙바닥에 발이 미끄러지며 불규칙하게 튀어나온 자갈들이 신발 밑창을 긁어댔다. 저 멀리 가로등 불빛이 희미하게 깜빡거리는 모습을 보며, 그는 속으로 되뇌었다. ′조금만 더… 이 사실까지 알려야 해.′

마침내 그는 좁은 골목길에 도착했다. 2층 창문에 드리운 커튼 사이로 희미한 불빛이 새어 나왔고, “제발, 제발.” 문고리를 붙잡고 간절히 빌었다. 그는 몸을 안으로 밀어 넣은 뒤, 문을 힘껏 닫았다. 신발은 흙투성이였고, 이마에는 식은땀이 흘러내렸다. 창문으로 바같의 어둠을 한 번 확인하고 나서, 곧장 서재에 있는 책상으로 달려갔다. 주머니에서 종잇조각을 주섬주섬 꺼내 메모를 다시 확인했다. 그리고 펜촉이 일기장의 종이를 스칠 때마다 흘러나오는 거친 소리 만이 방 안의 적막을 채웠다. "네메시스… 영혼 계약… 기억 조작… 후손들에게 알려야만 해! 우리가 쥐고 있던 권력은 이제 끝났어." 그는 메모에 적힌 내용을 또렷하게 옮겼다. 때로는 글씨가 흔들리기도 했지만, 최대한 정확하게 기록하려 애썼다.

그 순간, 창문에 비추는 달빛 사이로 무언가 움직이는 그림자가 스쳤고, 커튼 너머로 사람의 형체가 희미하게 드러났다. 그는 서둘러 창문 쪽으로 다가가 커튼 틈 사이를 살폈다. 아무것도 보이지 않았다. 밖은 여전히 고요했고, 어둠 속에는 가로등 불빛이 희미하게 흔들리고 있을 뿐이었다. '착각인가…?' 다시 책상 앞에 앉아 일기를 옮기던 순간이었다. 갑자기 방문이 부서지는 소리가 들리며 두 명의 괴한이 들이닥쳤다. 그들은 검은 복면을 썼고, 눈빛은 얼음처럼 차가웠다. 그리고 솔로몬을 향해, 날렵하게 손을 뻗어 멱살을 잡아채며 책상 위로 내던졌다. "어딜 그렇게 급하게 뛰어왔지, 친구?"

그는 저항하려 했지만, 괴한의 시퍼런 칼날이 책상에 널브러진 그의 옆구리를 푹 찔러 넣었다. 그리고, 아까 그를 내던진 괴한은 책상 위의 일기장을 집어 들었다. "이건 뭐야? 오늘 본 것들인가?" 비웃듯이 그의 일기를 후루룩 대충 넘겼다.

"안 돼! 그건 내 마지막 유산이야!"

괴한은 일기장 마지막 페이지를 확 찢어내더니, 그 조각을 잽싸게 주머니에 넣었다. 그리고 일기장을 솔로몬에게 던졌다. 어느새 일기장은 솔로몬의 피가 번진 자국이 선명히 묻어 나왔고, "이제 프리메이슨은 완전히 우리 것인가." 괴한 중 한 명이 나지막이 중얼거렸다.

솔로몬은 쓰러진 채, 책상 아래를 더듬어 찢어진 일기장을 붙잡았다. 피로 얼룩진 일기장은 반쪽짜리 기록에 불과했다. 그는 마지막으로 숨을 헐떡이며 찢어진 페이지를 응시했다. '대체… 우리 가문에는 무슨 일이 벌어지는 거지?'

의식이 차츰 흐릿해지며 창문 너머 어둠 속, 누군가의 시뻘건 눈이 여전히 자신을 지켜보고 있는 듯한 기분을 떨칠 수 없다는 듯이, 눈도 감기지 못하고 차갑게 얼어붙었다.

찢어진 일기 1919. 06. 25.

신과 악마가 한 공간에서 싸우는 것을 보았다.
하나님은 모든 행위와 모든 은밀한 일을 선악 간에 심판하시리라.
나는 그 말씀이 얼마나 무거운 의미를 지니고 있는지, 오늘 또다시 깨닫고 말았다.
화려한 샹들리에 아래, 궁전의 깊숙한 곳, 그리고 눈부신 금빛 벽화에 감춰진 방.
그곳은 마치 세상과 동떨어진 또 다른 세계였다. 문을 열었을 때, 그 안에 스며 있던 공기조차 묘한 긴장감과 섬뜩함으로 채워져 있었다. 도저히 어울리지 않는 기괴한 상징들—뱀과 눈, 피라미드, 피로 물든 칼의 문양—마저.

그 방의 중심에는 검은 대리석 제단이 놓여있었다. 제단 위에는 문서와 책이 산더미처럼 쌓여 있었고, 그중에는 분명히 성경 구절을 본떠 쓴 듯한 문장도 있었다.
"하나님의 말씀이 너희 안에 거하시며, 너희가 흉악한 자를 이기었음이라."
나는 하나님을 믿는다. 하지만 오늘 본 이 광경은 세상을 무너뜨릴 만큼 강렬했다.
아이들아. 내가 너희에게 쓴 것은 너희가 아버지를 알았음이요. 이 구절이 떠오를 때마다, 나는 이들이 부르는 "아버지"가 과연 누구를 지칭하는지 알 수 없었다.
아비들아. 내가 너희에게 쓴 것은 너희가 태초부터 계신 이를 알았음이요.
마지막으로 그 방을 빠져나오며 본 것은 바로, 붉은 눈이었다. 그것은 마치 나를 꿰뚫어 보는 듯했다. 나는 서둘러 몸을 돌려 뛰쳐나왔지만, 그 눈이 내 영혼까지 뒤쫓아오고 있었다.

칼에 묻은 핏방울이 괴한의 장갑에서 바닥으로 뚝뚝 떨어지며, "다 끝났다. 나가자." 말투는 꽤 차분했지만, 흔들리는 손끝은 그들이 서두르고 있음을 보여주고 있었다. 문을 열고 빠져나가려는 찰나—

철컥. 문이 열렸다.

입구에 선 그의 사위, 조셉은 그대로 굳어버렸다. 갓 태어난 아기가 밤새 열이 나는 바람에, 새벽일지라도 부인이 다급히 약을 구해

오라고 한 터였다. 갈색 종이봉투가 손에서 미끄러지며 감기약과 체온계가 굴러떨어졌다. 그와 동시에, 그의 시선은 거실을 지나, 서재 바닥에 널브러진 솔로몬의 시체, 그 주변을 적신 붉은 핏자국으로 향했다.

"이게…. 뭐야! 당신들 누구야?" 조셉의 목소리는 떨렸고, 그의 손은 간신히 문턱을 붙잡고 있었다. 그중 한 명이 빠르게 그에게 다가갔다.

"아니, 당신들 뭐 하는—" 말이 채 끝나기도 전에, 칼이 조셉의 옆구리를 꿰뚫었다. 둔탁한 소리가 뼈를 스치며 집안에 울려 퍼졌고, 그의 몸은 비틀거리며 무너졌다. 손을 뻗어 발버둥을 쳤지만, 목덜미가 강하게 잡힌 터라, 더는 저항할 수 없었다. 괴한이 그의 목을 놓아주자, 마지막 한 번의 숨을 헐떡이며, 바닥에 덩그러니 쓰러졌다.

2층 다락방에서는 솔로몬의 딸, 엘리나가 숨죽이며 지켜보고 있었다. 그녀는 아기를 품에 안은 채, 창백한 얼굴로 아래층을 몰래 내려다보았다. 창문 사이로 들어오는 어둑한 달빛이 그녀의 뺨을 어루만지고, 눈가에 맺힌 눈물은 더욱 선명했다.

"이건, 계획에 없었던 일인데. 누군가가 또 있는지 확인해보자." 아래층에서 들려오는 괴한들의 목소리에 그녀는 몸을 숙였다. 그 순간, 아래에서 들리던 발소리가 이쪽을 향했고, 그들이 다락방으로 다가오고 있었다. 그녀는 아기를 조심스럽게 내려놓고, 낡은 나무판자 아래 작은 공간에 숨겼다. 그리고 손가락으로 입을 막으며 "쉿", 아기의 얼굴을 바라보았다. 이내 결심한 듯, 조용히 다락방의 창문을 열고서는 창문턱을 잡으며 아래로 내려가려는 순간, 발밑에서 삐걱거리는 소리가 울렸다. "위층에 뭔가 있다!" 괴한들은 계단을 올라와, 다락방을 열어젖혔다. 그리고 누군가가 도망간 흔적. 창문이 열린 것을 확인하고, 한 명은 창문으로, 다른 한 명은 1층 정문으로 뛰쳐나갔다.

엘리나는 그들의 시선을 돌리는 데 성공했고, 기회를 틈타 멀리 달아나려 했다. "저들이 누구인지, 왜 우리를 노리는지 알아야 해…."

몇 분간 이어진 추적 끝에 담벼락에 숨어있던 그녀를 확인한 괴한. 위에서 그녀를 바라보며, "저기 있다!"

엘리나는 도망치려 했지만, 이미 늦었다. 괴한이 재빨리 낙하하여, 그녀를 벽으로 밀쳤다. "넌 뭐야? 솔로몬의 딸? 아까 그 남자는 너의 남편인가?" 그의 목소리는 날카로웠고, 손에는 은빛이 번쩍이는 칼이 들려 있었다. 그리고 마지막으로 들려온 그녀의 짧은 비명과 함께, 그들의 손은 피로 물들었고, 그녀는 차디찬 벽에 마지못해 기대어 마지막 숨을 몰아쉬었다.

그 사이, 솔로몬 그레이의 집, 피로 얼룩진 서재와 처참히 부서진 거실. 그 모든 흔적은 한때 권위의 중심이었음을 비웃기라도 하는 듯했다. 파리의 새벽은 잔혹했고, 그 잔혹함을 비웃으며 한 젊은 사내가 이곳으로 모습을 드러냈다. 그 사내는 녹청색 코트를 휘날리며, 유리창으로 1층 안을 살폈다. 신생아를 품에 안은 팔은 긴장감으로 굳어 있었지만, 눈빛은 단단한 강철처럼 흔들림이 없었다. 조용히 문을 열고 거실로 들어서서 조셉의 시체를 이리저리 흔들어

본 뒤, 곧장 계단을 따라 2층으로 성큼성큼 올라갔다. 그리고 다락방에 다다르자, 그곳엔 또 다른 아기가 곤히 잠들어 있었다. 품에 안은 아기를 잠시 옆에 눕히고, 다락방에 있는 아기를 조심스럽게 들어 올려, 두 생명을 가슴팍에 묻은 채 다시 아래층으로 내려갔다. 그의 손길은 능숙했고, 아기들은 그의 존재만으로도 평안을 느낀 듯했다.

"쉿. 조용히, 조금만 더 버텨줘." 그는 낮은 목소리로 중얼거리며 서재로 발길을 옮겼다. 피로 얼룩진 솔로몬의 시체, 그리고 책상 위에 놓인 낡은 일기장.

솔로몬의 눈을 지긋이 감겨주고, 조심스럽게 그것을 집어 들었다. 일기장 곳곳에도 피가 튀어 다소 끈적했지만, 글은 알아볼 수 있었다. "다 됐다. 이것만 있으면 돼." 사내는 조용히 중얼거리며 코트 안쪽, 큰 주머니로 일기장을 쑤셔 넣었다. 그것도 잠시. 두 아기가 동시에 얇은 눈꺼풀을 떨더니, 커다란 울음을 터뜨리기 시작했다. 아무도 없는 새벽, 거리로 나선 그는, 아기들을 꽁꽁 감싸며 발걸음을 재촉했다. 그의 목적지는 파리 외곽의 작은 비행장. 그곳엔 이미 이륙 준비를 마친 비행기가 프로펠러를 천천히 회전하며, 새벽의 차가운 공기를 갈랐다. 사내는 두 아기를 품에 안은 채 조용히 비행기에 올랐다. 1919년, 베르사유 조약이 체결되기 직전의 혼란스러운 파리. 비행기가 활주로를 떠나 하늘로 오르자, 희미한 불빛이 작아져 갔다. 그는 그 빛을 바라보며 다짐했다. '악마는 디테일에 있다.' 곧, 두 아기를 바라보며 결연히 입을 다물었고, 비행기는 지체없이 대서양 위를 힘껏 가로질렀다.

제1부 프리메이슨의 마지막 자손

제1장 사어먼 그레이의 어린시절

뉴욕의 동쪽 끝, 허드슨강이 내려다보이는 높은 언덕에 자리한 고아원은 중세 유럽의 대성당을 연상케 하는 고딕 양식 건축물로써 웅장하고도 장엄했다. 새벽의 희미한 빛이 대리석 벽에 닿을 때면, 반사된 빛은 신비롭게 일렁였다. 건물의 중심에는 하늘을 찌를 듯한 첨탑이 있었다. 그 꼭대기에는 중심에서 퍼져나가는 연꽃처럼 기하학적 도형이 조화롭게 얽힌 원형 문양이 금빛으로 빛나며 환한 인상을 주었다.

고아원은 세 개의 주요 건물로 구색을 갖췄다. 중앙 건물은 아이들이 머무는 기숙사와 공용 공간으로 쓰였으며, 양옆으로는 교육 시설과 훈련 시설이 자리 잡고 있었다. 전체 단지는 약 3만 제곱미터(약 9천 평)의 넓이를 자랑하며, 거대한 정원과 훈련장이 둘러싸고 있었다.

우선, 건물의 정면에는 넓은 계단이 자리 잡고 있었고, 양쪽에 늘어선 기둥들은 각각 저마다의 비밀을 간직한 것처럼 보였다. 기둥마다 눈에 띄는 특징으로는 한가운데 숫자 7이 커다랗게 새겨져 있었는데, 이는 설립자들이 아이들에게 강조했던 '완전함'과 '조화'의 상징이었다. 계단을 올라가서 입구로 들어가면, 중앙 건물은 가장 웅장한 규모를 자랑했다. 높이 솟은 천장 밑으로 거대한 원형 테이블이 놓여있었고, 탁자 중심에는 만다라의 문양과 함께, 고대 라틴어("Scientia et Virtus"-지식과 덕)의 문구가 새겨있었다.

아이들은 이곳에서 밥을 먹거나 책을 읽으며 시간을 보냈다. 이 중앙홀 옆으로는 도서관이 있었다. 당시, 뉴욕의 일반 고아원 시설에서 찾아볼 수 없는 방대한 컬렉션을 자랑했는데, 고전 철학서와 신학 서적은 물론, 근대 과학과 역사를 다룬 책들이 빽빽하게 꽂혀있었다.

건물 2층에는 남학생과 여학생 기숙사가 분리되어 있었다. 복도는 촛불처럼 은은한 가스등으로 밝혀졌고, 바닥은 고풍스러운 나무 패널로 이루어져 발걸음마다 뽀드득 소리가 났다. 기숙사는 방마다 두 명씩 배치되었다. 각 방에는 간소한 침대와 책상 하나가 배치되었고, 침대 머리맡에는 연꽃 문양이 새겨진, 작은 철제 액자가 걸려 있었다. 아이들은 아침마다 침대를 정리하고, 방을 점검받았다. 침대 시트가 조금이라도 구겨져 있거나 물건이 어지럽혀져 있으면, 점검 담당자는 묵직한 나무 자로 책상을 3번 두드리며 벌점을 매겼다. "이게 뭐냐, 캐서린?" 그가 굳은 목소리로 물으면, 그녀는 침대 옆에 꼿꼿이 서 있었다. 머리카락은 반쯤 흘러내렸고, 방금까지만 해도 자고 있었던 흔적이 역력했다. 그녀는 침대 시트를 흘끗 내려다보았다. "시트가 약간 구겨진 게 뭐 대수라고요?" 눈썹을 약간 치켜세우며, "제가 세탁실에 다녀오느라 급하게 정리하다 보니 그랬어요. 죄송합니다만, 벌점은 좀 과한 것 같네요."

교사는 미간을 찌푸리며 그녀의 얼굴이 뚫어지도록 쳐다봤다. "캐서린, 규율은 규율이다. 변명은 필요 없어. 벌점 3점. 내일은 완벽하게 정리해."

캐서린은 입술을 꾹 다물더니, "그럼요. 규율, 규율." 입속으로 중얼거리며 시트를 힘껏 펴는 시늉을 했다. 손길이 거칠수록 억울함과 분노가 실려 있는 듯했다. 그러다 문득 그녀는 시트를 바닥에 던져버렸다. "아, 다시 펴보죠, 네?" 그녀는 얄미울 정도로 경쾌한 말투로 덧붙이며 시트를 다시 집어 들어 팡팡 소리가 나도록 흔들었다.

"캐서린!" 교사는 목소리를 높였지만, 그녀는 오히려 입가에 엷은 미소를 띠며 시트를 다시 깔기 시작했다. "보세요. 이 정도면 됐나요?" 완벽히 정돈된 침대를 가리키며 말했다. "이제 벌점은 필요 없겠죠? 제가 이렇게 완벽히 고쳤으니 말이에요."

그녀의 룸메이트는 캐서린과 교사의 팽팽한 대치에 혀를 내둘렀다. 누구도 이런 태도는 감히 흉내 낼 수 없었으니.

그녀는 항상 그랬다. 문제를 정면으로 마주하고, 어떤 상황에서도 손해를 보려 하지 않았다. 그리고 늘 마지막에 웃는 건 그녀였다. 교사는 한참을 노려보더니, 마지못해 나무 자를 내려놓았다. "이번만이다. 하지만 다음엔—"

"물론이죠, 다음엔 없을 거예요." 그녀는 단호히 말을 잘랐다. 그리고 짓궂은 미소를 머금으며, 침대 끝에 걸터앉았다. 때마침 문밖에서 누군가의 웃음소리가 들렸고, 캐서린은 고개를 돌려보지 않아도 알 수 있었다. 사이먼 그레이였다. 그녀는 그를 향해 짧게 눈을 찡긋했다.

캐서린뿐만 아니라, 그곳의 아이들은 벌점 7점이 넘어서면, '훈련실'로 보내졌다. 체력 단련이나 추가 교육을 받는 장소가 아니었는지, 그곳에서 벌어지는 일들은 결코 밖으로 새어 나오지 않았다.

아이들은 입을 꾹 다물었고, 눈에는 설명할 수 없는 두려움이 서려 있었다. 아무리 물어도 답하지 않는 굳은 표정은 도리어 상상 속의 공포를 떠올리기에 십상이었다. 누군가는 장난스레 훈련실을 "네메시스의 시험장"이라고 불렀지만, 그런 농담조차 실없는 공포를 덮으려는 몸부림에 불과했다. 어떤 아이는 "거울 속에 비친 자신과 싸워야 한다"는 말을 남겼고, 또 다른 아이는 "그곳에서 가장 무서운 건 침묵이야. 아무도 목소리를 내지 않아. 대신 네 머릿속에서 끊임없는 비명이 들려와."라고 속삭였다. 환상과 현실의 경계가 흐릿해지는 곳이라고만 들었을 뿐.

절제와 통합은 금욕이나 억제의 덕목을 넘어서기 마련이다. 그것은 모든 선택과 행동이 더 큰 그림을 완성하는 조각임을 깨달음이다. 전날의 섣부른 탐욕과 게으름은 다음 날의 완벽함을 만드는 법이니. 매일 아침, 아이들은 불안한 마음으로 또다시 침대 시트를 잡아당긴다. 그리고 다시, 탁, 탁, 탁 소리가 복도를 울렸다.

한편, 서쪽 건물은 교육을 위한 공간이었다. 이곳은 6개의 대형 강의실과 2개의 실험실, 그리고 작고 비밀스러운 연구실로 조화를 갖췄다. 대부분 강의실의 벽은 초록 철판으로 이루어져 있었고, 창문은 거대한 스테인드글라스로 장식되어 있었다. 빛이 비칠 때마다 오색찬란한 문양들이 강의실 바닥과 벽을 물들였다. 교과목은 일반 학교와는 사뭇 달랐다. 오전에는 성경과 고대 철학을 배우고, 오후에는 세계사, 자연과학, 그리고 기초 수학과 문법이 이어졌다. 세계사 수업은 특히나 고난도 내용이 많았다.

"너희가 알아야 할 것은 단순히 연대와 사건이 아니다. 왜 사건이 일어났는지, 어떤 결과를 도출했는지 생각해야 한다." 교사는 종종 이런 말을 하며 수업을 시작했다. 수업 내용은 18세기 유럽 혁명, 종교전쟁, 제국주의와 같이 정치적, 사회적 의미가 깊은 주제들로 채워졌으며, 아이들은 이러한 지식을 배우는 데 그치지 않고, 각각의 사건에 대해 자신의 의견을 발표해야 했다.

교사들은 "지식을 물려주는 것은 강압이 아니라 지도다. 방향을 제시할 뿐, 가리키는 길은 스스로 선택해야 한다." 그래서인지 희생을 강요하지 않는 대신, 끊임없는 호기심과 탐구심을 길러주는 훈련이 이뤄졌다. 아이들은 밤마다 고전 도서와 지도 제작, 그리고 철저히 분석된 역사 수업으로 여러 정보를 통합하고 새로운 의미를 발견하게 만드는 창구로 사용했다.

실험실 한가운데에는 눈에 띄는 조각상이 하나 있었는데, 그것은 한 손에 동그란 연두색 구를 들었고, 다른 손에는 뇌를 상징하는 수정구를 들고 있는 형상이었다. 이 조각상 아래에는 라틴어로 "Ex Cognitione Unitas"'지식으로부터 모든 통합이 이루어진다.'라고 적혀 있었다. 아이들은 실험실을 드나들며, 스스로 묻곤 했다. "나는 오늘 더 성장했는가? 나의 개성은 다른 이들과 어우러져 새로운 화합을 만들고 있는가?"

이 철학 아래, 잠자리에 들 때마다 "모든 지식은 서로 연결한다.", "다름은 혼돈이 아니다. 다름이라는 것은 바로 확장의 씨앗이다.", "정보와 기술은 통합된 진리를 향한 첫걸음이다."라고 조용히 외치곤 했다.

마지막으로 동쪽 건물은 엄격한 훈련을 위한 장소로써, 입구는 날카로운 철문으로 배치되었고, 그 위에는 독수리가 날갯짓을 취하고 있는 거대한 조각상이 보였다. 건물 안으로 들어가면, 원형으로 뚫린 중앙 훈련장이 나타났다. 여기에는 체력 단련을 위한 각종 장비가 줄지었고, 한쪽에는 링과 표적 연습을 위한 공간도 마련되어 있었다. 체력 훈련은 오전 5시부터 시작되었다. 차가운 공기 속에서

스트레칭과 달리기로 몸을 풀고 나면, 1시간 동안의 격투 수업이 이어졌다. 처음엔 간단한 방어술부터 시작했지만, 시간이 지나면서 점점 공격적인 기술과 무기 사용법까지 배웠다. 아이들은 종종 교관의 눈치를 보며 동작 하나하나를 완벽하게 해내기 위해 최선을 다했다.

이렇게 3개의 건물로 이뤄진 허드슨 고아원은 대략 200명의 아이를 수용할 수 있는 규모였다. 이곳에 입소한 아이들은 대부분 부모를 잃었지만, 종종 특정 기관이나 조직으로부터 보내진 아이들도 있었다. 원장은 이 모든 과정을 조용히 받아들이며 관리했고, 일부 아이들은 왜 자신들이 이곳에서 자라고 있는지 정확히 알지 못했다.

마찬가지로 사이먼 그레이 역시, 이곳에서 자연스레 적응해 나갔다. 새벽 5시에 울리는 종소리가 하루를 깨울 때면, 차가운 물로 세수하고 곧장 운동장으로 향하는 것이 주된 일상이었다. 훈련장 한 구석, 한때 놀이 시설이었던 그네, 시소, 아기자기한 장난감의 흔적들은 기억에서 사라지고, 그의 뇌에는 철봉, 평행봉, 칼과 방패 그리고 오래된 권투 링이 차지했다. 운동이 끝난 뒤에는 서쪽 건물로 이동하여 지적 훈련을 이어갔다. 점심을 먹기 전, 한 시간씩 성경을 읽는 시간이 있었고, 원장인 알렉산더 크레인은 이 수업만큼은 직접 지도에 나섰다. 사이먼은 성경 구절의 의미를 분석하고 그것이 역사와 인간 심리에 어떤 영향을 미치는지도 토론해야 했다. “하나님이 모든 것을 창조했다면, 악마는 왜 태어났을까요?” 사이먼이 어느 날 물었다. 원장은 대답했다. “악마는 선택이다. 그리고 선택은 자유다. 자유가 없는 세상은 더 끔찍한 지옥이 되기 때문이다."

사이먼은 눈을 반짝이며 물었다. "그 선택에 따른 결과는 누가 결정하나요? 지옥이라고 말씀하셨잖아요."

그의 질문에 알렉산더 크레인은 깊이 주름진 이마를 찌푸리며 잠시 침묵했다. 두 손을 뒤로 깍지 끼고, 창문 너머의 허드슨강을 바라보는 모습은 마치 신의 뜻이라도 헤아리려는 듯했다. 그리고 천천히 몸을 돌려 사이먼을 바라보았다. "율례를 빙자하고 재난을 꾸미는 악한 재판장이 어찌 주와 어울리겠느냐. 그들이 모여 의인의 영혼을 치려 하며, 무죄한 자를 정죄하여 피를 흘리려 하나, 여호와는 나의 요새이시며, 나의 하나님은 내가 피할 반석이다. 그들의 죄악은 그들에게로 되돌아가고, 그들의 악으로 말미암아 그들을 끊으실 것이다. 여호와, 우리의 하나님이 그들을 끊으실 것이다."

사이먼은 눈을 깜빡이며 고개를 들었다. 하지만 크레인은 대답을 멈추지 않았다. 그는 조용히 한 걸음 다가와 사이먼의 어깨 위에 손을 얹었다. "하지만 말이다, 사이먼. 종교라는 것도 결국 인간의 해석에 달렸다. 인간은 신을 이해하려 노력하는 과정에서 얼마나 많은 오류를 범했는지 생각해보아라. 신의 뜻을 찾기 위해서는 과학과 기술, 그리고 끊임없는 연구에 힘써야 한다. 신은 우리에게 생각하고 탐구할 자유를 주셨으니, 그것을 소홀히 하면 안 되는 법이지." 그는 갑자기 얼굴에 미소를 띠더니, 손뼉을 치며 외쳤다. "자, 이제 점심 먹으러 가자! 영혼의 성숙도 중요하지만, 배고픈 육체가 뒤따른다면 아무것도 할 수 없지!"

사이먼은 멍하니 그를 바라보다가, 성큼성큼 걸어나가는 모습을 보고 급하게 뒤따랐다. 중앙 건물에 다다르자, 생물학 수업을 마친 캐서린 밀스가 장난기 어린 미소를 띠며, 홀의 입구에서 기다리고 있었다. "어디 갔다 온 거야? 또 이상한 질문 던지느라 늦었지?" 그녀는 대수롭지 않은 듯 팔짱을 끼며 말했다.

"뭐, 그런 셈이지." 사이먼은 어깨를 으쓱하며 대답했다. "하지만 네가 그렇게 오래 기다리지는 않았을 텐데?"

"아니거든? 네가 혼자 먹는 꼴은 못 보겠단 말이야." 그녀는 장난스레 한숨을 내쉬며 그의 팔을 쿡 찔렀다.

"혼자 먹는 게 뭐가 문제야? 때로는 혼자가 더 나을 때도 있는 법이거든." 사이먼은 약간 도발 섞인 말투로 그녀를 흘끗 쳐다보았다. 이에, 그녀는 콧방귀를 뀌며, "다음엔 네 밥에 소금을 잔뜩 뿌려 줄까? 그래야 여자의 말을 조금이라도 알아듣겠니?"

둘은 티격태격하면서도 식당으로 나란히 걸었다. 햇살이 비치는 복도 끝에서 아이들의 웃음소리가 어렴풋이 들려왔고, 두 사람의 발걸음 소리가 타일 바닥을 경쾌하게 울렸다.

"캐서린, 있잖아." 사이먼이 갑자기 입을 열었다. 그의 목소리에는 약간의 진지함이 배어 있었다. "넌 선택이란 걸 어떻게 생각해?" 캐서린은 한쪽 눈썹을 치켜세우며 그를 쳐다보았다. "너 또 무슨 철학책에서 읽은 거야? 선택? 간단하지. 누가 날 손해 보게 하면, 난 무조건 반대로 할 거야. 그게 내 철칙이거든."

사이먼은 살짝 웃으며 고개를 끄덕였다. 캐서린의 말은 언제나 예상 밖이면서도 묘하게 현실적이었다. 그녀와 함께라면, 모든 게 조금 더 생생해지는 느낌이었다.

점심시간의 중앙홀은 언제나 시끌벅적했다. 수업이 끝난 아이들은 발소리를 우르르 내며 지금 막 여기로 몰려들고 있었다. 탁자 위에 놓인 은빛 식판들이 햇빛을 받아 반짝였고, 땋은 머리와 단정히 다려진 옷차림의 아이들이 줄을 맞춰 서는 모습은 어딘가 낯설면서도 기이하게 질서정연했다. 사이먼과 캐서린도 뒤늦게 줄에 끼어들었다. 캐서린은 살짝 다리를 꼬며 지루한 듯 기다리다가, 앞에 서 있는 아이의 머리카락을 장난스럽게 당겼다. "야, 뭐야!" 그 아이가 뒤를 돌아보면, 캐서린은 고양이 같은 미소를 지으며 시치미를 떼기 일쑤였다.

오늘은 수요일. 주방 문이 열리자 아이들은 일제히 소리쳤다. "특식이다!"

거대한 원형 테이블마다 아이들이 빽빽이 앉아 있었고, 그들 앞에 놓인 플레이트는 전형적인 급식용 접시였다. 기본 메뉴는 대개 비슷했다. 삶은 감자, 잘게 썬 양배추 샐러드, 그리고 어딘가 건조한 빵 한 조각. 하지만 수요일과 토요일에는 항상 특별한 고기반찬이 나왔다. 오늘은 잉글랜드식 로스트 치킨이었다.

사이먼은 플레이트를 바라보며 조용히 고개를 갸웃했다. “왜 특식이 항상 닭고기야?” 그는 혼잣말처럼 중얼거렸다.

“왜긴, 닭의 영혼은 순수하니까.” 캐서린이 옆에서 거들며, 닭 다리를 집어 들고서는 양손으로 으스러뜨렸다. “닭은 인간이 키우는 동물 중에서 가장 깨끗하잖아. 양이나 비둘기도 그렇고.”

“그저…. 해롭지 않아서?” 사이먼은 포크로 닭고기를 푹- 찌르며 물었다.

“응. 난 그렇게 해석할래.” 캐서린은 입안의 음식을 삼키며 덧붙였다. “성경에서 악마를 상징하는 동물은 숫염소나 까마귀…. 그리고 뭐. 뱀이잖아. 그러니까 그런 건 절대 안 먹는 거지.”

“그게 말이 돼?” 사이먼은 고개를 저었다. “한편으로 우리는 종교보다 과학 기술과 발전이 중요하다고 배우잖아.”

“그럼 너는 뱀고기를 먹고 싶어?” 캐서린은 접시 위에 남은 빵을 닭 육수에 찍으며 말했다. “최소한 신선한 고기를 주니까. 여기가 이상하리만치 좋아.”

사이먼은 그녀의 말을 들으며 조용히 생각에 잠겼다. 닭고기 한 조각을 입에 넣고 씹을 때, 그는 문득 무언가가 떠올랐다. 생각해보면 닭, 비둘기, 양. 모두 평화와 순수를 상징하는 동물이었다. “그러니까…” 사이먼이 다시 말을 꺼내려는 순간, 캐서린이 그의 팔을 툭 치며 말했다. “그만, 밥이나 먹어. 이 스튜, 꽤 맛있잖아. 반찬 투정하는 너를 보면, 네메시스로 보내야겠어.”

사이먼은 그 말에 반사적으로 웃음을 터뜨렸지만, 마음속 한 편에는 여전히 지워지지 않는 의문이 맴돌았다. ‘그렇다면, 여기는 성경에 나오는 에덴의 동산이라는 뜻일까?’

점심을 마친 아이들은 각자 방향으로 흩어졌다. 추가 체력 훈련을 위해 동쪽으로 향하는 아이들, 또는 지식 습득을 위해 서쪽으로 나아가는 아이들. 사이먼은 늘 그렇듯 서쪽을 택했다. 점심시간 뒤에는 편성 교과목이 아닌, 선택의 자유를 배려한 원장의 의도였다. 그는 몸을 쓰는 것보다는 교육 시간을 좋아하는 바람에 책가방 끈을 손목에 돌돌 감으며 천천히 교실로 걸어갔다.
"사이먼, 너는 왜 항상 서쪽으로 가는 거야? 동쪽은 재밌다고!" 한쪽에서 달리던 제임스가 체력 훈련장의 창과 방패를 가리키며 외쳤다. "너도 한 번 들어보라니까. 이게 진짜 남자들 하는 일이라고!" 하지만 사이먼은 고개를 저었다. "너나 해, 제임스. 난 머리를 써야겠다."
사이먼은 늘 그렇듯 창가 끝자리 구석에 앉았다. 오늘의 주제는 18세기 혁명과 제국주의의 부상이었다. 교사가 초록 칠판에 분필로 글씨를 적는 동안, 아이들은 필기를 시작했다. "1차 세계대전 이후 베르사유 조약이 체결되면서 세계 질서는 극단적으로 변화했지. 이것은 단순한 협정이 아니라 세계 패권의 판도를 뒤집는 사건이었다." 교사의 굵은 목소리가 울렸다. 사이먼은 필기하다가 손을 멈추고 창밖을 바라봤다. 창가의 햇살이 나뭇잎에 부딪히며 깜빡이는 장면이 그의 시야에 들어왔다.
"사이먼, 또 딴생각이냐?" 옆자리의 리디아가 작은 목소리로 속삭였다. 그녀는 짙은 적갈색 머리칼을 뒤로 묶고, 내 노트를 옆으로 밀어 보였다. "베르사유 조약 부분 다시 쓸래? 네 글씨 너무 엉망이잖아."
"아니…. 귀찮아." 사이먼은 다시 창밖으로 눈을 돌렸다. "이게 뭔가 이상하단 생각이 들어. 그때 뭔가 큰 희생이 있었던 것 같아."
리디아는 사이먼의 옆모습을 물끄러미 바라보다가 노트를 덮었다. "희생이라니? 그건 그 당시 모든 사람이 겪었던 거야. 뭘 그렇게 복잡하게 생각해?"

사이먼은 고개를 저으며 말했다. "아니야. 내가 알기론…. 우리 가족도 이때쯤 무슨 일이 있었던 것 같아. 원장님이 잠깐 말했거든. 할아버지와 부모님도 그때 돌아가셨다고." 무언가 알 수 없는 무게가 가슴을 누르는 듯한 느낌이 들자, 의자에 깊숙이 기대앉았다. 잿빛 안개처럼 흐릿한 과거, 그리고 그 너머에 감춰진 비밀들이 머릿속을 스쳤다. "리디아, 넌 부모님 얘기 들은 적 있어? 나는 그저…. 아무것도 기억이 안 나." 사이먼은 손끝으로 책상 모서리를 문질렀다.

리디아는 잠시 생각하더니 고개를 끄덕였다. "나도 기억나는 건 없지만, 부모님이 뭘 했는지는 가끔 꿈에 나와. 아마 너도 뭔가 기억하게 될 거야. 아니면, 단서를 찾을 수도 있겠지."

사이먼은 눈을 감았다. 어둠 속에서 그는 이름도 얼굴도 떠오르지 않는 인물들을 떠올리려 애썼다. 그러나, 들려오는 건 낡은 시계에서 들려오는 똑딱거림뿐이었다.

"베르사유 조약은 패전국에 벌을 주기 위한 것이 아니라, 새로운 세계의 질서를 형성하기 위해 설계된 것이었어." 교사의 목소리가 다시 한번 교실을 가득 메웠다. "하지만 그 대가는 어땠을까? 수많은 사람의 희생, 그리고 새로운 갈등의 씨앗…."

사이먼은 그 말을 곱씹었다. '희생.' 노트를 덮고 조용히 리디아에게 말을 건넸다. "우린, 늘 가장 중요한 걸 보지 못해. 어쩌면 지금 우리가 배우는 것도 마찬가지야. 겉으로만 드러난 일일지도 몰라. 어떻게 생각해?"

리디아는 작은 목소리로 대꾸했다. "네 말이 맞아. 진짜 중요한 건 우리가 지금 배우지 않는 어딘가에 숨겨져 있을지도 몰라."

수업이 끝나고, 사이먼은 교과서를 가방에 넣으며 교실을 나섰다. 창밖에서 들려오는 아이들의 웃음소리와 멀리서 들리는 체력 훈련장의 호루라기 소리가 섞여 있었다. 그는 무거운 발걸음으로 중앙 정원을 지나며 마음속으로 속삭였다. '도대체 그때 무슨 일이 있었던 거지? 부모님과 조부모님이 어떤 선택을 했던 걸까? 15년이 지났는데도 아무것도 알 수가 없잖아.'

이처럼, 자연과학과 IT, 생물학 기술 등 전문 분야를 배우는 그룹이 있는가 하면, 운동장에서 창과 칼, 표창을 다루며 근력을 단련하는 아이들도 있었다. 1930년대 미국의 기술 수준을 초월한 듯 보이는 이곳의 시스템은 오히려 그 시대의 세계관을 비틀어버린 진보를 의미하기도 했다. 그리고 이 두 세계가 평화롭게 공존하는 것처럼 보였지만, 어느 날 갑자기 어딘가로 차출되어 사라지는 아이들이 있었다. 주로 무기에 능숙하거나 특정 기술에 특화된 아이들이었다. 스무 살이 되는 해, 그들은 원장의 호출을 받은 뒤 그 누구도 목적지를 알 수 없는 어딘가로 떠났다.

반면, 15살의 사이먼과 17살의 캐서린은 특별한 재능도 없었고, 눈에 띄는 성과도 없었다. 다만, 그녀는 남다른 말재주 덕분에 교사들의 눈에 잘 띄었다. 어떤 실수에도 능청스럽게 상황을 모면하곤 했으니.

그날은 체력 시험이 있는 날이었다. 아이들은 훈련장에 마련된 트랙과 무기 훈련장에서 자신의 한계를 시험하고 있었다. 캐서린과 사이먼은 유난히 격투술 평가에 긴장한 기색이 역력했다. 원장은 그들을 지켜보며 눈가에 미소를 머금었다. "사이먼 그레이, 캐서린 밀스. 각각 나와서 여기 아이들과 1대1로 싸워 보게."

캐서린은 억지웃음을 지으며 손을 들었다. "원장님, 제가 사이먼이랑 대결하면 안 되나요? 저놈은 불알이 달렸어도, 제가 손쉽게 이길 것 같은데요. 그나저나 사이먼이 다치면 어쩌죠?" 그녀의 말에 아이들 사이에서 웃음이 터졌다.

"걱정하지 마라. 네 실력으로 누군가를 다치게 할 일은 없을 거다. 사이먼이 괜찮다면, 성 대결도 한번 해보자꾸나." 원장은 무표정으로 대답했다. 둘은 마지못해 원형 경기장 안으로 들어갔고, 사이먼은 왼손으로 오른손을 매만지며 긴장감을 떨쳐내려 했다. 이에, 캐서린은 머리카락을 쓸어 올리며 여유로운 미소를 띠었다.

"시작!" 원장의 신호가 떨어지자마자 캐서린은 재빠르게 사이먼의 옆으로 돌아가 손바닥으로 그의 등을 밀었다. 하지만 그녀의 동작은 너무 느렸고, 사이먼은 이를 피하려다 오히려 중심을 잃고 넘어졌다. "하, 내가 이겼다!" 캐서린이 외쳤지만, 아이들은 이미 그녀의 서투른 격투 실력을 보고 웃음을 터뜨렸다. "둘 다 엉망진창이야! 저게 뭐 하는 거야. 덤 앤드 더머야? 너희 사귀니?" 제임스가 배를 잡고 웃었다.

사이먼은 어깨를 으쓱하며 다시 일어났다. "적어도 캐서린보다 역사 점수는 높다고!" 캐서린은 콧방귀를 뀌며 뒤로 물러났다. "좋아, 너도나도 이 시험은 글렀으니까 그냥 대충대충 넘어가자고. 이번에는 네가 들어와! 덤벼!"

다소 굴욕적인 격투 평가가 끝난 뒤, "캐서린, 너는 왜 그렇게 평범한 걸 싫어하는 거야?" 사이먼이 물었다.

"내가 이상한 게 아니라, 네가 답답한 거야. 너도 느끼지 않아?"

사이먼은 따로 대답하지 않았다. 그는 이미 캐서린의 말에 어느 정도 동의하고 있었지만, 자신의 평범함이 그 사실을 받아들이기를 거부하는 모양이었다. 둘은 석양 아래에서 점점 길어지는 그림자를 뒤로하며 묵묵히 기숙사를 향해 걸었다.

그리고 사이먼 그레이가 17살이 되던 해, 어깨가 넓어지고 얼굴선은 더 날카롭게 변해 있었다. 체력 훈련을 반복하며 생긴 잔 근육들이 몸에 배었고, 특히 그 낮고 울림 있는 목소리를 들을 때면 더는 소년 같지 않았다. 창문가에 비스듬히 기대, 웃통을 벗고 땀을 닦고 있던 그는 거울을 통해 자신의 반짝이는 눈동자를 바라봤다. 어쩌면 자신도 몰랐던 자신감이 가슴 어딘가에서 움트는 기분이었다. 그때, 문이 삐걱 열리며 캐서린 밀스가 들어왔다. "어우, 언제부터 이렇게 뻔뻔하게 웃통을 까고 다녔어?" 짓궂은 웃음과 함께 손에 들고 있던 책을 그의 머리 위로 툭 내려놓았다.

사이먼은 놀란 척하며 책을 들어 올렸다. "귀여운 꼬마 주제. 잔소리까지 늘었네."

"꼬맹이?" 캐서린은 입술을 삐죽거렸다. 그리고 몸을 돌려 침대에 털썩 주저앉았다. 그녀의 갈색 머리는 부드럽게 웨이브 치며 반짝였다. 캐서린도 마찬가지로, 사춘기를 지나며 완전히 다른 사람이 된 듯했다. 가늘고 긴 팔다리, 매끄러운 곡선의 몸매, 그리고 옅은 분홍빛이 감도는 입술까지, 그녀도 더는 소녀가 아니었다. 봉긋하게 드러난 가슴과 늘씬한 허리가 눈에 유독 띄었지만, 그녀의 짓궂은 미소는 여전히 그대로였다.

사이먼은 그녀를 힐끗 쳐다보았다. "너도 이제 꼬맹이라고만 하기엔 좀 그런데?" 그는 뭔가 꿀꺽 삼키는 소리를 냈다.

"그야 너보다 두 살 많으니까! 기억 좀 해라, 꼬마야." 그녀는 자신의 말에 스스로 웃었다.

그날 밤, 사이먼은 그녀의 방을 찾아 들어갔다. 그녀는 의자에 앉아 책을 읽고 있었고, 다리를 꼬고 앉은 자세에서 늘씬한 선이 더욱 요염해 보였다.

"또 뭐야?" 그녀는 고개를 돌려 귀찮은 듯 물었다. 하지만 눈가에는 분명히 웃음이 스치기도 했다.

"그냥, 너 괜찮은지 보러 왔지." 사이먼은 벽에 기대섰다. 가슴 한편은 알 수 없는 감정으로 두근거렸고, 그녀의 봉긋한 실루엣이 어둠 속에서도 또렷이 보였다. '왜 이제야 이런 모습이 보이는 거지?' 그는 속으로 중얼거렸다.

캐서린은 책을 덮으며 사이먼을 빤히 쳐다보았다. "네가 이렇게 다정하게 굴면 오히려 불안하단 말이야."

"불안해하지 마. 내가 널…" 사이먼은 잠시 말을 멈췄다. "뭐, 늘 옆에 있을 테니까."

캐서린은 미소를 지었다. 그리고 그녀는 그의 어깨를 툭툭 때리며 방 안에 웃음을 퍼뜨렸다. 그날 이후, 그들 사이에는 보이지 않는 선이 그어졌다. 친구였던 그들이 이제는 남녀라는 설렘과 두근거림을 느끼기 시작한 순간이었다.

어느덧 시간이 지나, 사이먼이 20세가 되던 해, 정원은 평소와 달리 조용했다. 사이먼은 캐서린이 마지막으로 서 있던 벤치를 바라보고 있었다. 그녀는 떠나는 날, 어깨에 작은 가방 하나를 걸친 채, 아무렇지도 않다는 듯 말했다. "내가 먼저 갈게. 취직하면 집은 구해놓을 테니까 천천히 와." 그녀는 웃으며 손을 흔들었다.

사이먼은 어딘가 허전한 느낌을 억누르며 손을 들어 인사했다. "알겠어. 좋은 집으로 구해놔!"

그녀는 절대 뒤를 돌아보지 않았다. 굳게 다문 입술과 미소 뒤에 어떤 감정이 있었을지는 모를 일이었다. 그녀가 저 문을 나서고 얼마 지나지 않아, 사이먼도 이곳을 곧 떠나야 한다는 사실을 깨달았다.

며칠 후, 원장 알렉산더 크레인이 사이먼을 자신의 방으로 불렀다. 평생 여기서 지냈지만, 크레인의 방에 들어가 본 건 처음이었다. 문을 열고 들어선 순간, 그는 눈앞의 광경에 발이 굳었다.

방은 마치 성스러운 의식을 치르기 위해 특별히 설계된 공간처럼 보였다. 천사들의 조각상은 여기저기 세심하게 배치되어 있었고, 이 조각상들은 르네상스 시대, 흔해 보이는 가톨릭 양식이 아니라, 신앙의 순수함을 강조한 개신교 미학에 더 가까웠다. 단순하면서도 우아한 곡선미를 가진 천사들은 날개를 활짝 펼치고 손에는 성경을 들고 있었으며, 그 표정은 경건함과 결단력으로 가득 차 있었다. 간단히 말하면, 조각상들은 간결하고 정갈한 아름다움을 발산했다. 그리고 하얀 벽은 전체적으로 은은한 광택이 돌았고, 그 위를 금빛 문양이 나선형으로 감싸며 구불구불 이어져 있었다. 그 문양들은 눈에 보이지 않는 힘의 흐름을 나타내는 것 같았으며, 고대와 미래를 잇는 다리처럼 느껴졌다. 천장은 고풍스러운 스테인드글라스로 장식되어 있었는데, 금빛과 초록색 빛줄기가 교차하며 벽과 조각상을 감싸 안았다. 방은 최소 100평은 될 정도로 넓었고, 그 한가운데는 이 공간의 신성함과는 전혀 어울리지 않을 것 같은 첨단 과학 장비들이 자리하고 있었다. 은빛 금속으로 만들어진 반구형 기계는 윙윙 소리를 내며 작동 중이었고, 액정에 나타난 그래픽들이 복잡한 수식을 형상화하고 있었다. 그리고 주위를 둘러싼 투명한 유리관 속에서는 혈관처럼 얽힌 튜브들이 전선을 대신하며 방 한쪽에 자리한 거대한 서버로 이어졌다.

그 서버는 최첨단 데이터 처리 기술을 응축한 듯 보였다. 얇고 날렵한 디자인의 몸통 위로 푸른 LED 불빛이 점멸하며, 정보가 끊임없이 처리되고 있는 듯했다. 이곳이 무엇을 나타내는지는 사이먼은 이해할 수 없었지만, 그 규모와 정교함만으로도 압도적이었다. 그는 입을 벌린 채 주변을 둘러봤다. "여기가… 원장실이라고요?"

크레인은 조용히 웃었다. 그리고 그의 손짓에 따라, 더 깊숙이 들어가자, 벽에 있던 투명한 패널이 천천히 열리며 복잡한 기계 장치들이 드러났다. 은빛 선들이 흐르는 수상한 장치와 스크린, 사이먼이 그동안 상상조차 하지 못했던 장비들이었다. 그리고 그의 책상 위에는 두 가지 물건이 놓여있었다. 하나는 표지 곳곳이 검정으로 얼룩진 공책이었고, 다른 하나는 USB였다. 크레인은 그 노트를 먼저 사이먼에게 건넸다. "이건 네 유품이다. 할아버지 일기, 솔로몬 그레이의 기록."

사이먼은 손끝으로 일기장의 표면을 매만졌다. 가죽은 세월에 닳아 갈라져서 그런지 꽤 거칠었다. 몇 번을 쓱- 쓰다듬으며, "이것은 알겠는데…" 그는 크레인의 손에 있던, USB를 들어 올렸다. "도대체 이건 뭐죠? 처음 보는 물건인데요."

그는 원장의 의도를 이해하지 못하겠다며, 우선 일기장의 첫 장을 넘겼다. 빼곡히 적힌 할아버지의 글씨는 삐뚤삐뚤 번져 있었다. 책장을 후루룩 넘기며 마지막 페이지를 확인하니, 글이 반쯤 잘려있었다. "왜 지금에서야 이런 걸 주시는 거죠? 어릴 때부터 알고 있었다면…"

크레인은 고개를 저었다. "알았다면 이곳에 적응하지 못했을 거야."

"적응이라뇨? 그게 무슨 말이에요?" 사이먼은 일기장과 USB를 번갈아 보며 물었고, 크레인은 조용히 그를 바라보았다. "사이먼, 지금 우리가 살아가는 연도는 1930년대가 아니다. 여기는 2025년이야."

순간 그의 머릿속이 새하얗게 변했다. "뭐라고요? 그게 무슨 소리예요? 제 부모님은 1차 세계대전쯤 돌아가셨다고 하셨잖아요. 제 할아버지도…"

"사이먼," 그의 목소리는 한겨울 나뭇가지를 스치는 바람처럼 낮고 부드러웠지만, 설명할 수 없는 무게감도 담겨 있었다. "네가 알고 있는 세계는 네가 보았던 것과 다를 수도 있다. 아니, 정확히 말하면, 그저 너에게만 보인 것이다."

사이먼은 크레인의 말을 도무지 이해할 수 없었다. "무슨 말씀인지 도저히 모르겠군요. 제 기억은…. 제 인생은 모두 거짓이었다는 말입니까?" 그의 목소리에는 분노와 공포가 얽혀 있었다.

크레인은 고개를 천천히 저으며 방 한가운데 스크린을 가리켰다. 손끝을 움직이자, 스크린에는 뇌의 모델이 떠올랐다. 뇌의 각 부분은 다양한 색상으로 구분되어 있었고, 신경 세포 사이를 스치는 전기 신호들이 선명하게 드러났다. 크레인은 손바닥을 펼쳐 액정을 조작하며 말을 이었다. "우리의 뇌는 완벽한 연산 장치지만, 그것이 완벽한 진실을 보여주진 않아. 뇌는 우리가 경험하는 모든 것을 일종의 '이야기'로 재구성하지. 이 이야기는 감각의 파편들, 경험, 기억, 그리고 약간의 상상력으로 이루어진 거야. 하지만 중요한 건…." 그는 손가락으로 뇌의 한 부분을 가리켰다. "뇌는 환상과 현실을 구분할 수 없다는 점이지. 네가 1930년대를 살아왔다고 믿는 것은 단순히 너의 선택이자 자유일 수 있다."

사이먼은 이 말을 듣고 자리에서 일어나 두 손으로 머리를 감쌌다. "무슨 소리예요? 그럴 리가 없어요. 제 기억과 선택은, 제 삶은…. 다 진짜라고요!"

크레인은 그를 바라보며 한 걸음 다가갔다. "네 선택의 진위는 내가 논할 문제가 아니야. 하지만 네가 지금 존재하는 이 방, 이 순간이 2025년이라는 사실은 변하지 않아. 밖으로 나가보면 더욱 잘 알겠지. 전혀 다른 풍경이 펼쳐질 테니까. 우리의 자유 의지는 어떻게 만들어지는 걸까, 사이먼?" 대답하지 않는 사이먼을 보고, 크레인은 다시 말을 이어갔다. "뇌는 불완전한 데이터를 보완하기 위해 빈 곳을 메우려 하지. 그것이 현실을 왜곡하는 시작점이야. 네가 지금 믿고 있는 1930년대의 세계는 네 뇌가 만들어낸 이야기일 수도 있어. 우리는 너희에게 단 한 번도 강요하지 않았어."

사이먼은 고개를 가로저었다. "그렇다면 제 삶은 도대체 무엇입니까?"

크레인은 잠시 그의 눈을 들여다보다가 말했다. "네 삶이 진실인지 확인하려면, 또다시 직접 선택해야 해. 뇌는 언제나 너를 속일 준비가 되어 있어. 네가 볼 수 있는 건 세상의 단면뿐이지." 그는 손을 뻗어 사이먼의 어깨를 가볍게 잡았다. "너의 선택은 밖에 나가서 확인하는 것뿐이다. 내가 말한 것을 믿지 않아도 좋아. 하지만 네 눈으로 이 세상을 다시 봐라."

사이먼은 혼란스러웠지만, 크레인의 목소리는 확신이 있었다. 그는 문득 방을 가득 채운 문양과 찬란한 빛의 흔들림을 보며, 이 공간 자체가 현실과 환상의 경계가 흐려진 장소라는 생각이 들었다.

"내가 진실을 봤을 때," 크레인이 말했다. "나는 그 진실이 내 기억을 깨뜨리고 새로운 현실을 열었다는 것을 깨달았다. 너도 곧, 그럴 거야."

"그러니까, 그게…" 손에 든 낡은 일기장과 USB가 갑자기 무겁게 느껴졌다. "왜 제가 이런 걸 믿어야 하죠?"

크레인은 눈을 감았다. "믿을 필요는 없다. 이해하지 못하고, 앎보다는 모름을 택하는 것도 네 자유다."

사이먼은 벽에 걸린 천사 조각상을 쳐다보았다. 마치 자신을 내려다보며 모든 것을 알고 있다는 듯한 표정이었다. 그는 천천히 고개를 끄덕였다. "알겠어요. 그럼 이걸로 뭘 하면 되는 거죠?"

고아원에서의 마지막 밤은 유독 고요했다. 기숙사의 작은 방은 허드슨강에서 불어오는 차가운 바람 소리와 침묵만이 맴돌았다. 벽에는 룸메이트와 함께 걸어둔 낡은 사진이 마지막으로 눈에 들어왔고 짐을 다 쌀 때쯤, 나지막한 목소리가 들렸다. "잘 가, 사이먼. 우리 어디선가 다시 만나겠지."

사이먼은 고개를 끄덕이며 그의 손을 잡았다. 그리고 아무 말 없이 짧게 포옹했다. 냉랭했던 공기가 잠시나마 따뜻해진 분위기였다. 사이먼은 침대 위에 앉아 두 물건을 번갈아 쳐다보았다. 그는 천천히 첫 페이지를 또다시 넘겼다. 첫 문장은 이렇게 시작했다. "이 일기를 발견한 사람은 나의 후손일 것이다. 내 딸일지도, 사위일지도, 또는 손자일지도 모르겠구나. 너는 선택받은 가문의 자랑이다." 그가 계속 읽어 내려갈수록, 일기장의 글은 점점 더 이해하기 어려운 언어와 기호로 바뀌었다. 낯선 단어와 도식들이 무슨 의미인지는 모르겠으나, 페이지를 넘길 때마다 머릿속이 이상하게 맑아지는 것 같기도 했다.

"네가 해야 할 일은 그들의 추악한 짓을 막는 것이란다. 어리석은 자는 그의 마음에 이르기를 부패하고 행실이 가증하다. 다 치우쳐 함께 더러운 자가 되고 선을 행하는 자가 없으니, 하나도 없도다. 다만, 우리도 크게 다르지 않았던 것 같구나."

그 문장에서 '그들'이라는 단어를 본 순간, 그의 시선은 USB로 옮겨갔다. 할아버지 일기장은 담담하게 그의 운명을 가리키고 있는 것처럼 느껴졌다. 그러나 그 장치가 무엇인지, 어떻게 사용하는 것인지 전혀 알 수 없었다. 그는 장치를 이리저리 돌려보며, 스위치처럼 보이는 부분을 눌러보기도 했다. 하지만 아무 반응도 없었다. 그는 어쩔 줄 몰라, 장치를 내려놓고 다시 일기장을 펼쳤다.

"너는 평범하지 않다. 일기장이 네 길을 열 것이다." 그 문장을 읽는 순간, 가슴 속 깊은 곳에서 불현듯 어떤 기억들이 떠오를 듯 말 듯 스쳤다. 부모님, 할아버지, 그리고 그의 손에 이 물건을 건네주던 크레인의 모습까지 떠올랐다. 그는 숨을 고르며 고개를 들었다. 침대 머리맡에서 은은한 문양이 빛을 발하는 가운데, 불안과 기대 그리고 막연한 두려움이 한데 엉켜 가슴 속을 파고들었다. "내일이 오면, 나는 무엇이 되어 있을까." 그는 그렇게 혼잣말을 하며 천천히 일기장을 덮었다. 그러자, 가슴속에 또 다른 떨림이 찾아들었다. 아득히 오랜만에 떠오르는 따뜻한 두근거림. 그의 머릿속에 한 사람의 얼굴이 떠올랐다. '캐서린.'

사이먼은 두 손으로 얼굴을 문지르며 숨을 골랐다. 그리고 그녀를 다시 만날 수 있다는 생각만으로도 희미한 미소가 입가에 번졌다.

제2장 다시 만난, 캐서린

새벽 공기는 싸늘했다. 고아원의 대문 앞, 허드슨강에서 불어오는 찬 바람이 얼굴을 스치며 사이먼의 피부를 얼얼하게 만들었다. 정문에는 스무 살이 된, 몇 명이 두서없이 옹기종기 모여 있었다. 모두 입을 열지 않았다. 세상으로 처음 나가는 아이들은, 저마다의 생각에 잠겨 고개를 떨구거나 멍하니 먼 곳을 바라보았다.

원장은 아이들에게 마지막 훈시를 늘어놓고 있었다. "이제부터는 네 인생에 대한 스스로 책임을 져야 한다." 그는 두 손을 등 뒤로 깍지 낀 채, 아이들을 둘러보며 말했다. "능력이 뛰어나 선발된 아이들은 이미 어제 떠났으니, 너희는. 음…. 뭐랄까,"

'한마디로, 어중이떠중이들이라는 말이라는 것인가?' 사이먼은 아이들 사이에서 희미한 탄식과 고개를 끄덕이는 반응이 섞여 나왔다.

"뉴욕 한복판으로 향하는 버스가 곧 도착할 거다. 세상은 너희를 쉽게 받아들이지 않을 것이지만 꼭 살아남아라." 그의 목소리는 굳건했지만, 그 안에는 알 수 없는 기묘한 애정 같은 것도 묻어 있었다.

사이먼은 고개를 돌려 자신이 오랫동안 머물렀던 고아원의 정문을 바라보았다. 그때, 철통같은 대문이 좌우로 열리며, 교사 몇 명이 신생아들을 품에 안고 들어오고 있었다. 작은 아기들은 고요하게 잠들어 있거나 간헐적으로 울음을 터뜨렸고, 사이먼은 그 광경을 지켜보았다. 아기들은 어딘가 희미하게 익숙한 표정을 짓고 있었다.

아니, 그보다는…. 그 상황 자체가 어딘가 섬뜩했다고 해야 하나.
'저 아기들은 도대체 어디서 오는 걸까?'
교사들은 바쁘게 걸음을 재촉하며, 건물 안으로 깊숙이 사라졌다.
"이봐, 사이먼. 출발해야지." 크레인의 목소리가 그의 머리 뒤에서 울렸다. 사이먼은 어딘가 불안한 기분을 뒤로하고 고개를 끄덕이며 계단을 내려가기 시작했다. 깎아지른 듯 높은 언덕에서 시작되어 허드슨강을 따라 내려가던 계단의 폭은 어마어마했고, 양옆으로는 오래된 돌난간이 줄지어 있었다. 아침 햇살이 아직 미미하게 퍼지는 가운데, 길 끝에 대형버스 한 대가 기다리고 있었다.
스무 명의 아이들이 도착하자마자 버스 문이 열리며, 엔진 소리가 유난히 크게 들렸다. 크레인은 아이들에게 버스에 오르라는 손짓을 하며 서 있었다.
사이먼은 가방을 어깨에 걸치고 천천히 버스 안으로 걸어 들어갔다. 버스가 천천히 속도를 내며, 고아원의 경계를 벗어나자 사이먼은 본능적으로 창밖을 바라봤다. 처음으로 동쪽 끝 허드슨강 너머의 세계를 마주하는 순간이었다.
가끔은 하늘을 가르는 드론들이 붕붕거리며 바삐 움직였고, 도시를 가득 채운 전광판에는 쉴 새 없이 광고가 번쩍였다. "당신의 삶을 새롭게, 동산 컴퍼니." 익숙하면서도 어딘가 알 수 없는 로고가 깜박이는 광고도 눈에 띄었다. 도로를 주행하는 차들 가운데는 사람이 아닌 기계가 조종하는 차량도 간혹 보였다. 뒷좌석에서 어린 아이가 얼굴을 창에 기대고 있는 모습이 보였지만, 운전석에는 보이지 않은 누군가가 핸들을 스스로 돌리고 있었다.

"우리가 정말 같은 시대에 살았던 게 맞나?" 사이먼은 자신도 모르게 혼잣말을 내뱉으며, 창문에 손바닥을 대고 바깥을 하염없이 바라봤다. 버스는 고속도로를 따라 미끄러지듯 나아갔다. 뉴욕 중심부까지의 거리는 약 두 시간 남짓이었다. 창밖 풍경이 점점 더 북적이는 모습으로 변하더니, 마침내 도시의 심장부에 다다랐다. 회색 건물들과 유리로 만든 고층 빌딩들이 하늘을 찌르듯 솟아 있었고, 거리마다 바삐 움직이는 사람들이 넘쳐났다. "뉴욕," 그는 낮은 목소리로 읊조렸다. "정말 이렇게 생겼구나."

버스가 천천히 속도를 줄이며 타임스퀘어 근처에 정차했다. 원장 알렉산더 크레인은 자리를 털고 일어나 아이들을 향해 돌아섰다.

"자, 여기서 내리면 끝이다. 일자리를 구해야겠지? 인생이 너무 안 풀린다면 고아원으로 찾아오거나, 나에게 연락하거라."

사이먼은 내리기 직전, 크레인에게 쭈뼛쭈뼛 다가가 주저하며 물었다. "저기…. 캐서린…. 2년 전에 먼저 떠난, 그녀에게 연락할 방법을 알려주실 수 있나요?"

"캐서린? 그 아이는 지금 대형 언론사에 취직해서 일하고 있다. 뉴욕에 있는 '피존 미디어'라는 곳이지. 주소는 2727, 브로드 스트리트"

"고맙습니다, 원장님." 사이먼은 그렇게 말하며 몸을 돌렸다. 버스가 문을 닫고 출발하자, 잠시 그 자리에 서서 맨해튼의 풍경을 바라보았다. 사람들은 각자의 목표를 향해 달려가고 있었고, 그가 손에 쥔 것은 작은 가방과 두 개의 물건뿐이었다. 그리고 사람들에게 물어물어 '피존 미디어'를 향해 걸음을 옮겼다.

사이먼은 유리 벽 앞에 서 있었다. 피죤 타워라 불리는 이 거대한 건물은 무수한 창문으로 뒤덮여 있었고, 각각의 창문은 건물의 기울어진 면을 따라 환히 빛났다. 빌딩 위 거대한 전광판에서는 화려한 뉴스 타이틀과 함께 피죤 로고가 번쩍였다. 도심의 공기는 차량과 사람들이 뿜어내는 열기로 후끈거렸고, 그 사이로 지나가는 차량의 경적이 뒤섞였다.

사이먼은 천천히 빌딩 입구로 걸어갔다. 자동문이 부드럽게 열리니, 로비는 넓고 고급스러웠다. 반짝이는 대리석 바닥과 투명한 유리 계단이 공간을 채우고 있었고, 곳곳에 배치된 디지털 스크린에는 PZN 뉴스 클립이 무한히 재생되고 있었다.

"찾으시는 분이 계신가요?" 리셉션 데스크 뒤에 앉아 있는 여성이 묻자, 사이먼은 잠시 머뭇거리다가 대답했다.

"캐서린 밀스요."

리셉션 여성이 웃으며 말했다. "밀스 기자라면 12층입니다. 엘리베이터를 타시죠."

12층에 도착하자, 그는 그녀를 한눈에 알아볼 수 있었다. 캐서린은 회색 블레이저에 흰색 셔츠를 입고, 사무실 밖의 복도에서 전화 통화를 하고 있었다. 그녀는 사이먼을 보자마자 환하게 웃으며 전화를 끊었다.

"사이먼!" 그녀의 목소리는 2년이라는 시간을 단숨에 거슬러 올라가는 듯했다. 캐서린은 달려와 그를 꼭 껴안았다.

"오늘 네가 올 줄 알았어. 그래서 기다리고 있었지." 그녀는 특유의 미소를 지으며 말했다.

"정말? 난 네가 기자가 될 줄은 몰랐는데."

캐서린은 이리저리 주변을 둘러보는 사이먼의 손을 잡으며, "바빠도 밥은 먹어야지. 지금 점심 먹으러 가자. 좋은 곳을 알아."

캐서린이 데려간 곳은 피죤 언론사 근처, 유명한 레스토랑 "로마노 델리"였다. 뉴욕에서 유명한 델리 중 하나로, 기자들과 금융업 종사자들이 자주 찾는 곳이었다. 작은 가게지만, 벽마다 특종 뉴스를 실은 신문과 잡지가 장식되어 있었고, 각 테이블 위에는 소박하지만 따뜻한 분위기의 촛불이 놓여있었다.

그들은 창가 쪽 테이블에 앉아, 메뉴를 한 번 훑어보더니 캐서린이 사이먼에게 먼저 말을 걸었다. “이곳 샌드위치는 진짜 끝내줘. 내가 추천해줄게.”

사이먼은 여전히 그녀가 리드하는 모습이 익숙했다. 그는 캐서린의 추천으로 루벤 샌드위치를 시켰고, 그녀는 클럽 샌드위치를 주문했다. 음식이 나오기를 기다리며 캐서린이 다시 입을 열었다. “이제 뭐 할 거야? 진짜 세상으로 나왔으니 계획은 있겠지?”

사이먼은 잠시 생각에 잠겼다. “솔직히 아직 잘 모르겠어. 어떻게 시작해야 할지도 막막해.”

캐서린은 눈썹을 살짝 치켜세우며 말했다. “그럴 줄 알았어. 그래서, 임대 아파트 하나를 미리 구해놨어. 일단은 거기서 같이 지내.”

사이먼은 놀란 표정으로 그녀를 바라봤다. “정말?”

“응. 내가 너 오기 전에 다 알아봤어. 월세도 저렴하고, 우리한테 딱 맞는 곳이야!”

사이먼은 미소 지으며 고개를 끄덕였다. 그리고 음식이 나오자, 캐서린은 한 입 베어 물며 다시 말했다. “일자리도 내가 도와줄게. 네가 할 수 있는 일도 분명 있을 거야. 다만…” 그녀는 말을 잠시 멈췄다. “뭘 해도 세상이 얼마나 냉혹한지 알게 될 거야. 특히 뉴욕 같은 곳에서는.”

사이먼은 진지한 표정으로 고개를 끄덕였다. “뭐든 해볼게. 네가 추천하는 거라면 믿어볼 수 있을 것 같아.”

둘은 서로의 샌드위치를 바꿔 먹으며 한참 동안 웃고 떠들었다. 식사를 마치고 레스토랑을 나서며, 사이먼은 뉴욕의 거리를 다시 한번 둘러보았다. 그의 마음속에 새로운 희망이 싹트고 있었다. 캐서린은 그의 옆에서 활짝 웃으며, “자, 네가 원하는 걸 얻든지, 아니면 잃든지 둘 중 하나야. 그러니 제대로 해보라고.”

사이먼은 조용히 그녀를 바라보며 대답했다. “그래, 제대로 해보자.”

며칠 뒤, 사이먼은 캐서린의 추천으로 PZN 청소 직원으로 첫 출근을 했다. 2025년 뉴욕의 아침은 언제나 사람들의 발걸음으로 북적였고, 맨해튼의 거리에는 주요 도시만에서 느낄 수 있는 이색적인 리듬을 만들어냈다. 빌딩 아래로 길게 드리운 그림자 사이로, PZN 뉴스 사의 로고가 번쩍였다. 날카롭게 반사된 햇빛이 눈에 스칠 때마다, 사이먼은 잠시 멈춰 고개를 들고 빌딩을 올려다보곤 했다. ″여기가 내 일터라니.″

사무실과 화장실 청소는 단순한 일이었지만, 그동안 체력 훈련을 꾸준히 한 덕분일까. 그에겐 항상 에너지가 샘솟았다. 그리고 뉴욕에서는 이런 일자리도 귀했으니. 그는 정리되지 않은 책상 주변을 치우며, 기자들이 흩뿌린 종이들 위의 글귀를 종종 읽곤 했다. ″새로운 정책,″ ″세계 경제,″ ″워싱턴 회의″ “빌더버그 회의의 비밀은?” 같은 문구들이 눈에 들어왔고, 가끔은 사무실 직원들이 퇴근 후, 빈 사무실에서 유리창을 닦다가도 야경에 넋이 나갈 뻔했다. 반짝이는 빌딩과 거리를 내려다보며, 자신의 모습이 그럭저럭 괜찮다는 생각이 들었다. 캐서린이 미리 구해놓은 임대 아파트는 회사에서 지하철로 20분 거리에 있으며, 퀸스의 작은 건물에 자리 잡고 있었다. 낡았지만 아늑한 분위기를 가진 3층짜리 건물로, 그들이 사는 방은 2층의 코너에 있었다. 방 안으로 들어가면, 거실 한쪽에는 중고 가구 가게에서 사 온 소파가 놓여있었다. 벽에는 캐서린이 좋아하던 추상화가 걸려 있었는데, <부서진 원과 교차하는 선들>, <검은 나무와 흰 꽃>, <침묵 속의 얼굴>, <날카로운 날개와 붉은 구름>의 작품들이 섬뜩하면서도 이질적인 느낌을 주었다. 첫 번째 걸린 작품은 초록색의 차가운 배경에 붉은 선들이 날카롭게 교차하는 형태로, 원이 부서지고 선들로 나뉘어, 그 사이에서 뚜렷한 경계선이 형성되는 모습이었다. 두 번째 작품은 검은 나무 위로 나뭇가지는 이리저리 말라 뒤틀려 있고, 주변의 흰 꽃들은 생명을 잃고 절규하는 모습이었다.

그리고 작은 부엌에는 오래된 커피 추출기가 항상 자리를 지켰다. "여기 참 좋아. 비록, 작아도 우리가 함께하는 집이야." 캐서린이 주방에서 커피를 내리며 말했다. 창밖으로는 도시의 회색빛 풍경이 보였지만, 둘에게는 오히려 그 도시의 소란이 안정감을 주었다. 침실은 두 사람이 함께 사용하는 서재로도 쓰였다. 사이먼은 할아버지의 일기장을 침대 옆 작은 책상에 올려두곤, 퇴근 후 밤마다 읽었다. 캐서린은 그 옆에서 노트북을 열어 업무를 하거나, 차 한 잔을 마시며 그를 바라봤다. 그때마다 사이먼은 일기장에서 놀라운 내용을 발견해 나갔다. 세계사와는 전혀 다른 이야기였으니.

주요 전쟁의 시작되는 계기가 교과서와는 확연히 다른 이유로 설명되었고, 역사적 인물들이 전혀 알려지지 않은 음모에 얽혀 있었다. "이건 소설이 아니야, 실화야." 사이먼이 조용히 중얼거리자, 캐서린은 커피잔을 내려놓고 그의 옆으로 다가왔다.

"뭐가 실화라는 거야?" 그녀는 약간 짓궂게 물으며 그의 어깨를 살짝 밀었다.

"우리가 알고 있는 역사가 가짜야. 여기에 쓰인 모든 내용이 진짜라면, 우리가 사는 세상은 조작된 거야." 사이먼이 진지한 표정으로 일기장을 흔들었다.

캐서린은 웃으며 말했다. "음모론에 빠진 거 아냐? 내가 봤을 땐 그냥 네 할아버지가 이야기를 잘 꾸몄던 거지." 하지만 그녀의 목소리에는 살짝 의심도 섞여 있었다.

"근데 이상하지 않아? 왜 나는 1919년에 태어난 거 같지?"

캐서린은 눈을 크게 뜨며 말했다. "뭐? 무슨 말이야?"

"내가 마치 1930년대 후반을 살았던 것처럼 느껴져."

"사이먼, 우리 어렸을 때부터 2000년대였어. 그런 말 하지 마. 이상해." 그녀는 장난스러운 표정으로 말했지만, 사이먼의 진지한 눈빛에 잠시 당황한 듯했다.

둘은 매일같이 바쁜 일정을 보냈지만, 퇴근 후의 시간은 온전히 그들만의 일상이었다. 가끔은 브루클린의 작은 레스토랑에서 데이트하거나, 맨해튼의 공원 벤치에 앉아 사소한 이야기를 나눴다. 캐서린은 항상 사이먼의 손을 잡으며 말했다. "우린 뭐든 할 수 있어. 내가 항상 널 응원할게."

결혼 이야기도 점차 오갔다. "우리 결혼하면 어디서 살까?" 사이먼이 물으면, 캐서린은 웃으며 말했다. "지금 사는 아파트보다 더 좋은 곳? 아니면 그냥 여기도 좋아. 우리가 함께라면, 어디든 괜찮아."

그들은 돈을 모으기 위해 열심히 일했다. 사이먼은 가끔 청소 일을 하며, 고객들이 버린 물건 중 쓸 만한 것을 가져와 아파트에 두곤 했으며, 캐서린은 회사에서 인정을 받아 고속 승진을 이어갔다.

어느덧, 5년이 지나자, 둘은 뉴욕의 소박한 생활이 모두 익숙했다. 어느 날 밤, 캐서린은 말했다. "우리 정말 여기까지 잘 해냈다. 앞으로도 잘할 수 있겠지?"

사이먼은 그녀를 바라보며 대답했다. "아무리 이 세상이 이상하고, 요란하게 돌아가도, 넌 나의 중심이야."

그들의 대화는 밤이 깊도록 이어졌고, 뉴욕의 소음은 여전히 창밖에서 들려왔다. 시간이 흐르면서도, 둘은 변하지 않는 꿈과 사랑을 품어내고 있었다.

다음 날 아침, 회사를 출근한 사이먼은 점심시간이 되자, 누군가의 자리를 빌려 할아버지 유산을 탐험하곤 했다. 그 동료는 사무직에서 가장 친근한 앤드류였다. 그는 책상에 어질러져 있던 과자 봉지를 밀어내며, "거기 앉아도 돼. 어차피 근무시간도 아니니까."라고 말했다.

USB를 꽂으면, 화면에는 초록색 그래프 바가 서서히 올라갔다. 하지만 그게 전부였다. 파일 탐색기를 열어보면, 아무것도 저장되지 않은 텅- 빈 공간만 보였다.

"사이먼, 오늘도 그거 꼽고 있냐?" 앤드류가 코카콜라 캔을 따며 물었다.

"응. 뭔가 있을 것 같아. 근데 항상 아무것도 없네." 사이먼이 대답하며, 바탕화면 창을 한 번 더 새로 고쳤다.

"진짜 대단하다, 뭐, 네 할아버지가 숨겨둔 비밀이라도 있냐?" 앤드류는 웃으며, 또 다른 동료 의자에 앉아, 기지개를 켜며 몸을 뒤로 젖혔다.

"그럴 수도 있지."

"너 좀 이상해. 아무것도 없는데. 몇 년 동안 그러다니." 앤드류는 고개를 저으며 말을 이었다. "근데 뭐, 너답긴 하다. 계속 USB에 혼을 불어넣어 봐. 언젠가 뭐가 튀어나올지도 모르지."

오늘도 USB의 진실을 알지 못한 채, 집으로 퇴근한 사이먼은 냉장고를 열어 맥주 한 캔을 꺼냈다. 차갑게 맺힌 물방울이 손가락에 닿자, 잠시 멈춰 서서 주방의 창밖을 내다보았다. 퀸스의 밤거리는 여전히 밝다. TV를 켜니 익숙한 프로그램이 흘러나왔다. 리얼리티 쇼였다. 사람들이 서로의 집을 바꿔가며 리모델링을 하는 프로그램이었는데, 이걸 볼 때마다 캐서린은 "나중에 우리 집도 저렇게 꾸밀 수 있을까?" 하고 묻곤 했다.

"근데," 사이먼이 캐서린에게 툭 던지듯 물었다. "너 거기에서 나올 때, 뭐 받은 거 없어? 나처럼 유산이라든가, 아니면 가족사진이라든가, 뭐 기억에 남는 물건 같은 거?"

소파에 앉은 캐서린은 멍하니 천장을 올려다봤다. 그러다가 슬쩍 웃으며 말했다. "그런 건 없었어. 원장이 내 손에 뭘 쥐여 주거나 그러진 않았거든."

사이먼은 고개를 갸웃하며 그녀를 바라봤다. "진짜? 아무것도? 기억에 남을만한 거 하나도 없다고?"

캐서린은 맥주잔을 내려놓으며 웃음을 터뜨렸다. "아, 근데 하나 있긴 해. 세례명."

"세례명?" 사이먼이 의아한 표정을 지으며 되물었다. "너 세례받았어? 고아원에서 그런 걸 했었나 보네."

"아니," 캐서린은 장난기 섞인 미소를 지으며 고개를 끄덕였다. "내가 아기였을 때, 부모님이 지어줬다고 들었어. 뭐 대단한 건 아니고."

"뭔데?" 사이먼은 고개를 갸웃하며 맥주잔을 내려놓고 그녀를 바라봤다. 손끝에 남은 거품이 조금씩 흘러내렸다.

"아사셀," 캐서린이 조용히 말했다.

"아사셀? 그게 뭐야? 성경에 나오는 이름은 아닌 것 같은데."

"아사셀..." 캐서린은 살짝 웃으며 어깨를 으쓱했다. "고대의 이름이야. 성경에도, 아니, 신화 속에도 등장하지. '하늘에서 떨어진 자'라고도 해. 원래는 '하늘의 사자'였다고 하더라."

사이먼은 손끝으로 맥주잔을 몇 번 건드리며, "하늘에서 떨어진 자…. 타락한 존재라는 거군. 그럼…. 악마랑 다를 게 없잖아?"

"그런가?" 캐서린은 미소 지으며 고개를 끄덕였다. "하지만 이상하게도 그 이름은 끌리는 게 있어. 타락하고 나서도, 그 안에 남은 무언가가 있는 듯한 느낌이야. 마치 강렬한, 뚜렷한 힘을 가진 존재 같달까."

"그래. 어쩌면 우리가 모르는 또 다른 '빛'이 숨겨져 있을지도 모르지." 사이먼은 그녀를 쳐다보다가 다시 웃으며 말했다. "그나저나, 나는 없는 것 같은데?"

캐서린은 눈을 동그랗게 뜨며 짐짓 진지한 표정을 지었다. "네 할아버지 유산도 20년이라는 시간이 지나서 받았는데, 설마 크레인이 너의 세례명까지 숨겨뒀을까?"

사이먼은 장난기가 섞인 눈빛으로 그녀를 바라보며 입을 열었다. "뭐, 혹시 모르지. 나도 세례명이 있을 수도 있잖아. 시몬 마구스라든가."

캐서린은 고개를 저으며 크게 웃었다. "그건 너무 흔하잖아. 차라리 암브로시오 같은 이름이 하드코어 하지."

사이먼은 조용히 중얼거리며 맥주를 한 모금 더 마셨다. 그리고 그의 손끝은 일기장의 구겨진 페이지를 천천히 쓸고 있었다. 희미하게 바랜 잉크와 노란 종이에서, 가장자리에 손을 얹은 채, 사이먼은 맥주의 씁싸래한 맛을 느꼈다. "여기 보면…. 우리 가족이 프리메이슨과 깊이 연루돼 있었다고 해. 뭔가 역사적으로 엄청난 사건을 벌였던 사람들이라는데? 이상해." 그는 말을 멈추고 일기장을 캐서린에게 내밀었다.

캐서린은 흥미로운 듯, 사이먼 허벅지에 올려놓았던 두 다리를 내리며 일기장을 받아들였다. "역사적으로 엄청난 일이면 뭘 했다는 거야? 세계를 구했어, 아니면 망쳤어?"

1907. 03. 15.

1907년 3월 15일, 불이 밝았다.

우리는 불완전한 세계를 완전하게 만들기 위해 모인 자들이며, 그것이 곧 우리의 사명이자 저주다. 누군가는 우리를 단지, 일상 속의 그림자라고 생각하겠지만, 때로는 권력자의 손에서, 때로는 평범한 이들의 귓가에서, 때로는 역사의 페이지에서 춤추고 있다.

나 역시 그 춤에 발을 맞췄다. 먼 후일, 내 후손, 그리고 그의 아들 역시, 이 균형을 지켜야 할 것이다. 이름 없는 자들의 헌신과 침묵 속에서 단 한 가지를 기억하라.

우리가 만든 열쇠는 봉인을 풀 수도 있지만, 세상을 잠글 수도 있다.
그것은 그 열쇠를 쥔 자의 의지에 달려 있다.

마지막으로, 그림자는 우리뿐만이 아니다.
최근, 디아스포라로 넘어온 자들은 동맹을 맺고, 불그스름한 어두움을 확장하고 있다.

무슨 일인지 동료 5명은 얼마 전 연락이 끊겼다.

캐서린은 일기장을 조용히 내려다보며, "이게 다 뭔 소리야? 균형? 봉인? 열쇠? 그냥 은유적인 표현인가?" 그녀는 얼굴을 찡그리며 사이먼을 바라봤다.

"처음엔 나도, 그냥 시라고만 생각했어. 근데 계속 읽다 보니까…. 뭔가 심상치 않아. 할아버지가 문학적으로 쓴 건 아니야. 이건 비밀리에 뭔가 전하려는 메시지 같은데."

캐서린은 눈을 가늘게 뜨며 말했다. "네 할아버지가 프리메이슨이면, 너는 후손이겠네? 그럼 네가 열쇠라도 되는 거야?" 그녀는 장난스럽게 웃으며 사이먼의 옆구리를 쿡 찔렀다.

"웃지 마. 진지해." 사이먼은 눈을 반짝이며 말했다. "여기 보면 '그 열쇠를 쥔 자의 의지에 달렸다'고 했잖아. 그게 나한테 뭔가 의미하는 것 같아. 난 그냥 평범한 사람이잖아. 근데 왜 이런 얘기를 일기에 썼겠어?"

"혹시나 해서 묻는데," 캐서린은 그의 얼굴을 유심히 쳐다보며 말했다. "네가 앞으로 엄청난 일을 할 거라는 뜻 아니야? 근데 일단 먼저 집세부터 내자. 세상을 구하기 전에, 뉴욕에서 쫓겨나면 안 되니까."

사이먼은 TV를 껐고, 두 사람은 한동안 소파에 나란히 앉아 있었다. 캐서린은 옆에서 일기를 여전히 훑으며, 뭔가를 곱씹는 표정이었다. 단어 하나하나를 해독이라도 하듯, 그녀의 손가락은 페이지 가장자리를 천천히 따라가고 있었다. "그 USB가 정말 뭔가를 알려줄지도 모르겠다." 그녀는 마침내 입을 열며 고개를 살짝 돌렸다.

사이먼은 한 손으로 그녀의 허리를 감싸며 물었다. "그치? 너도 뭔가 찜찜하지 않아?"
캐서린은 코웃음을 치며 말했다. "너의 해석대로라면 네 할아버지가 프리메이슨이었고, 음…. 그런데…. 이런 말 해서 미안하지만, 어디서 들어본 얘기 같지 않아?"
"응? 계속 왜, 토를 다는 거야? 아까는 집세 걱정이나 하라고 했다가, 다시 내 말이 맞을지도 모르겠다고 하다가." 사이먼은 약간 짜증 섞인 목소리로 되물었다.
캐서린은 한쪽 입꼬리를 말아 올리며, 고개를 갸웃했다. "피자 게이트, 일루미나티, 뭐 그런 거 말이야. 세상 뒤에서 조종하는 비밀 조직, 파충류 인간, 외계인과의 계약…. 그런 얘기는 인터넷에서 떠도는 음모론 맞잖아? 그러다가 '모두 다 속았다!' 하고 끝나는 결론 말이야." 그녀는 두 손을 허공에 올려 괴상한 연기를 덧붙이며, 비꼬듯 말했다.
"그건." 사이먼이 반박하려 하자, 그녀가 손을 들어 말을 막았다.
"아니, 잠깐만. 네 말을 무조건 부정하는 건 아니야." 캐서린은 다시 진지한 얼굴로 바뀌었다. "그런 얘기가 전부 헛소리라고 단정 짓는 것도 위험하지. 왜냐하면, 음모론이라는 게 다 어디서 시작됐겠어? 무언가, 진짜였던 사건에서 출발했을 테니까. 문제는 그걸 사람들이 점점 왜곡하고, 진실이랑 허구를 섞어서 마치 소설처럼 만들어버리는 거지." 그녀는 손가락으로 일기장을 가볍게 두드렸다. "그래서 이런 것도 완전히 무시할 수는 없어. 그렇지만."
"그렇지만?" 사이먼은 그녀의 말을 기다렸다.

캐서린은 작게 한숨을 내쉬며, 마치 자신과의 논쟁에 지친 사람처럼 고개를 저었다. "그렇지만, 사이먼. 이걸 진지하게 들여다본다는 건, 네가 정말로 거대한 음모 속에 뛰어들겠다는 거야. 그리고 그런 걸 파헤치겠다고 나서는 사람들이 어떻게 되는지는 알지? 다들 미친 사람 취급받고, 결국엔 아무것도 못 밝혀내. 너도 잘 알잖아. 진실이라는 게, 밝혀지는 순간엔 이미 너무 많은 사람이 외면하고 있어."

사이먼은 그녀의 말에 잠시 아무 말도 하지 않았다. 하지만 그는 일기장의 마지막 문장에서 시선을 떼지 못했다. '마지막으로 그 방을 빠져나오며 본 것은 바로, 붉은 눈이었다. 그것은 마치 나를 꿰뚫어 보는 듯했다. 나는 서둘러 뛰쳐나왔지만, 그 눈이 내 영혼까지 뒤쫓아오고 있었다.'

캐서린은 다시 일기장을 덮고 소파에 툭 던지듯 내려놓았다. 그녀는 웃음기 어린 목소리로 말했다. "근데 뭐, 한번 진지하게 읽어볼 가치는 있겠네. 프리메이슨 영화 같은 얘기를 실물로 접하게 되는 걸지도 모르니까."

사이먼은 그녀를 바라보며 속으로 의문을 삼켰다. 캐서린은 정말 그저 재미로 말하는 걸까, 아니면 자신보다 더 많은 것을 알고 있는 걸까? 그녀의 말투는 아무것도 진지하게 받아들이지 않는 것 같으면서도, 어떤 경계선 위를 조심스럽게 걸어가고 있었다. 두 사람의 대화는 멈췄고, 서로 실크 잠옷으로 갈아입었다. 그리고 침실로 향하여 사랑을 나누고 이내 잠을 청했지만, 코를 고는 캐서린과 달리, 사이먼은 좀처럼 잠들지 못했다.

몇 달 후, 회사 복도, 종이컵 자판기가 드르륵 소리를 내며 커피를 뽑아내는 동안 사이먼은 한숨을 푹 쉬었다. 그의 작업복은 여느 때처럼 땀과 먼지로 얼룩져 있었다. 오늘도 청소용 카트를 밀며 지나온 복도 끝엔, "최고 이사: 캐서린 밀스"라는 황금색 명패가 그의 눈에 다시금 박혀 있었다.

두 글자만 봐도 마음 어딘가가 꿍하고 울렸다. 캐서린은 분명 열심히 일했다. 그리고 뛰어난 사람임은 누구보다 잘 알았다. 하지만.

"뭐가 문제인데?" 사이먼은 자신에게 속삭이듯 물었고, 머릿속엔 어지러운 생각들이 꼬리를 물었다. 그녀가 그 자리까지 올라가기엔 너무 빨랐다. 단 두 해 만에. 차장, 부장, 그리고 이사.

커피를 손에 쥐고, 청소부들의 휴게실에 자리를 잡았다. 그곳에서 사무실 직원이지만, 종종 이곳에 놀러 오는 앤드류가 신문을 넘기고 있었다. 앤드류는 자유로운 영혼으로서 편견 없이 사람을 바라보는 친구다. 그리고 승진을 원하지 않는 사람이었으며, 사무실 내에서 가장 수다스러운 사람이기도 했다.

"오늘도 캐서린 근처에서 청소했어?" 그가 빙그레 웃으며 말했다.

"정말이지, 네 여자친구는 여기에서 전설이야. 2년 만에 최고 이사라니. 와우! 저 위층 사람들한테 얼마나 잘 보였으면 그런 일이 가능하겠어?"

사이먼은 앤드류의 말에 어쩔 수 없이 씁쓸한 웃음을 지으며 커피를 한 모금 삼켰다. "너는 여기가 편해? 사무실에서 일하는 정규직들은 이곳으로 오지 않잖아."

그 말에 앤드류는 신문을 내려놓으며 말했다 "내 성격을 아직도 모른다고? 난 사무실 동료보다 너랑 있을 때가 편해. 그리고 이곳은 상사들이 드나들지 않거든. 마음이 홀가분해져."

"그래. 아까 했던 말 있잖아. 캐서린. 대체 무슨 능력이 그렇게 뛰어난 거지? 내가 아는 그녀는 천재라기보단. 그냥 열심히 하는 사람이었는데."

앤드류는 고개를 갸웃하며 신문을 탁 내려놓았다. "너도 알잖아. 여기선 열심히 한다고 되는 게 아니란 걸. 네 여자친구는 꽤 똑똑하게 처신했을 거야. 나는 아직도 차장은커녕 대리야. 물론, 이 직급이 편해. 위로 올라갈수록 책임질 일이 많잖아?" 그는 눈을 가늘게 뜨며 어딘가 심드렁한 표정을 지었다. "아니면… 정말 운이 좋았거나."

사이먼은 대답 대신 고개를 끄덕이며 멍하니 커피를 저었다. 하지만 그의 마음속은 점점 더 뒤틀려갔다. 운? 처신? 아니, 정말 이게 단순히 운일까? 아니면… 그는 문득 머릿속에 떠오른 생각을 밀어내고 싶었지만, 그것은 마치 뿌리를 내리는 덩굴처럼 머리를 휘감았다. "앤드류." 사이먼이 조용히 물었다. "사람이 성공하면… 바뀌는 걸까?"

앤드류는 그를 한참 바라보다가 웃음을 터뜨렸다. "너 여자친구 질투하는 거야? 설마 그 멋진 자리에서 갑자기 변했다고 생각하는 건 아니지?"

"질투가 아니야." 사이먼은 고개를 세차게 저었다. "그냥, 뭔가 이상해서 그래. 요즘 그녀를 보면… 뭔가 달라졌어."

"어떻게?" 앤드류는 흥미로운 얼굴로 물었다.

"뭐랄까… 예전에는 훨씬 더 가깝게 느껴졌거든. 같이 소파에 앉아서 TV를 보거나, 길거리 음식 먹으면서 이런저런 얘기를 나눌 때면 정말 편했어. 그런데 이제는…" 사이먼은 말을 멈췄다. "이제는 그녀가… 멀어졌어. 아니, 그냥 달라졌어."

앤드류는 조용히 웃음을 삼키며 고개를 끄덕였다. "사이먼, 권력자가 되면, 뇌가 바뀌어. 그것도 아주 많이. 그건 네 여자친구가 특별히 이상해서가 아니라, 누구에게나 똑같이 일어나는 일이야. 아니, 변하는 게 아니라, 본모습이 드러나는 걸 수도 있고."

사이먼은 한숨을 쉬며 머리를 헝클어뜨렸다. 하지만 그의 마음은 여전히 복잡했다. 혹시 그녀가 예전 상사랑… 그런 관계였던 건 아니었을까? 아니면, 어떤 비밀이 숨겨져 있는 건 아닐까?

그날 오후도 사이먼은 그녀의 사무실 앞을 지나쳤다. 그곳은 복도와는 완전히 다른 세계였다. 커다란 창문에 고급스러운 블라인드, 깔끔하게 정리된 책상 위엔 고급 펜이 가지런히 놓여있었고, 벽에는 저명한 화가가 그린 추상화가 걸려 있었다.

블라인드가 올라갔을 때는 고개를 돌려, 흘끔 바라볼 때마다 그녀는 서류에 집중하고 있었고, 턱선을 드러내며 무언가 적고 있었다. 사이먼은 유리창 너머로 그녀를 잠시 바라보았다. 예전의 캐서린이 아니었다. 그녀의 표정엔 여전히 자신감이 섞여 있었으나, 사무실 곳곳에서는 그녀의 냉정함과 회사에서 위치를 말없이 드러내는 듯했다. 그때, 그녀는 고개를 들었고, 잠시 그의 시선을 발견하더니, 가벼운 미소와 함께 눈은 다시 서류로 향했다.

퇴근 후, 오랜만에 사이먼과 캐서린은 소호에 있는 작은 이탤리언 레스토랑 "루치아(Lucia)"로 들어섰다. 나무로 만든 수제가구와 벽에 걸린 흑백 사진들은 고풍스러운 분위기를 자아냈고, 곳곳에서 포도주잔이 부딪치며, 맑은소리를 냈다.

"여기, 라비올리가 끝내준다더라." 캐서린은 메뉴판을 넘기며 말했다. "화이트 와인 소스로 만든 거. 아, 그리고 브루스케타도 맛있대. 뭐 먹을 거야?"

사이먼은 어깨를 으쓱하며 메뉴판을 대충 훑었다. "그냥 스파게티 카르보나라? 간단하게 먹으려고."

"또 카르보나라?" 그녀는 살짝 웃으며 고개를 저었다. "넌 늘 똑같은 걸 먹는구나. 새로운 걸 좀 시도해봐."

사이먼은 아무 말 없이 물잔을 집어 들었다. 그녀의 말이 그저 가벼운 농담처럼 들릴 수도 있었지만, 어쩐지 마음에 가시처럼 걸렸다. '똑같은 걸 먹는다. 똑같은 삶을 산다. 똑같은 자리에서 멈춰 있다.'

음식이 나오고, 따뜻한 빵 냄새와 갓 조리된 파스타의 풍미가 테이블을 감쌌다. 캐서린은 잔을 가볍게 들어 올리며 말했다. "자, 우리. 오늘은 스트레스 다 잊고 좋은 저녁을 보내자. 네가 얼마나 바빴는지 알고 있으니까."

"그건 그렇고," 사이먼은 잔을 들지 않고 말했다. "왜 할아버지 일기장의 마지막 페이지가 찢겨 있었을까? 이상하지 않아?"

캐서린의 표정이 미묘하게 변했다. 방금까지 웃고 있던 얼굴에 살짝 긴장감이 스쳤지만, 금세 아무렇지 않은 듯 젓가락으로 라비올리를 집어들었다. "사이먼," 그녀는 차분하게 말했다. "그건 그냥 오래된 일기장이라서 그랬던 거 아닐까? 너무 의미를 두지 말자."

"아니야. 뭔가 있어." 그는 단호하게 말했다. "그리고 우리 부모님, 할아버지까지. 그들이 암살당했다고 하면… 누군가 정말 존재했던 거 아닐까? 내 가족의 뿌리를 찾아야 해. 그냥 이대로 덮어두는 건 너무 답답해."

캐서린은 한숨을 쉬며 포크를 내려놓았다. "사이먼, 너랑 나랑 전 세계를 돌아다니면서 과거의 진실을 찾는다? 그게 현실적이라고 생각해?"

"왜 안 돼?" 그의 목소리가 높아졌다. "너도 알잖아, 이건 단순한 일이 아니야. 그들의 죽음엔 뭔가 비밀이 있을 거라고!"

"그래서?" 그녀는 팔짱을 끼며 그를 똑바로 바라봤다. "우리 결혼은 어떻게 할 건데? 네가 그렇게 떠돌아다니면, 언제 안정적인 삶을 가질 수 있는데?"

사이먼은 그녀의 말에 잠시 멈췄다. "결혼은…" 그는 말을 맺지 못하고 시선을 피했다.

"그리고," 캐서린은 말을 이으며 목소리를 조금 낮췄다. "내가 지금 최고 이사 자리에 있어. 네가 여기저기 좀 쑤시면서 과거를 찾겠다고 해도, 널 기다리거나 따라다닐 순 없어. 네 욕구를 들어주다가는, 내가 퇴사라도 해야 한다는 소리야?"

그녀의 말투는 여전히 부드러웠지만, 사이먼은 그 안에서 날카로움을 느꼈다. 그리고 그 순간, 그는 깨달았다. 그녀의 말은 너무도 이성적이었다. 현실적이었다. 그녀가 말하는 "안정적인 삶"은 자신과는 점점 거리가 멀어 보였다. 아니, 그녀의 세계는 이미 사이먼 자신의 세상을 초월해버린 것 같았다. '내가 부족해서 그런 걸까?' 그는 고개를 숙인 채 빵을 쪼개며 생각했다. '내가 그녀보다 한참 뒤처져 있어서 이렇게 느끼는 걸까? 아니면, 그녀가 나를 점점 무시하는 걸까?'

"사이먼." 그녀의 목소리가 그를 깨웠다. "너 나한테 지금 뭐라고 대답할 건데? 그냥 과거만 붙잡고 계속 그렇게 살 거야? 그게 네 목표야?"

그녀의 질문에 말문이 막혔다. 과거를 찾고 싶다는 열망은 분명했지만, 그녀에게는 그것이 고집처럼 들리는 것 같았다. 사이먼은 억지로 미소를 지으며 말했다. "아니, 그냥… 내가 너무 예민하게 구는 거 같네. 미안해."

"예민한 게 아니라, 현실을 보라는 거야." 캐서린은 젓가락을 내려놓고 잔을 비웠다. 그녀의 얼굴에는 따뜻함이 남아 있지 않았다. "우리, 여기까지만 얘기하자. 괜히 분위기 망치지 말고."

사이먼은 아무 말 없이 고개를 끄덕였다. 그녀의 말투와 태도는 예전과는 확실히 달랐다. "그녀는 정말로 변했다. 고압적이고, 명령조였다. 나는, 그녀의 세계에 발맞출 수 없는 건가."

레스토랑을 나설 때, 캐서린은 먼저 택시를 잡아타고 떠났고, 사이먼은 혼자 걸으며 뉴욕의 밤거리를 헤맸다. 화려한 도시의 불빛 속에서 그는 점점 자신이 초라하게 느껴졌다. 그리고 그의 가슴속에는 작고 깊은 상처가 자리 잡기 시작했다.

제3장 음모론과 USB

시계의 바늘은 새벽 2시 43분을 가리키고 있었다. 사이먼은 거실의 소파에 몸을 묻은 채, 할아버지의 낡은 일기장을 천천히 넘겼다. 바람 빠지는 듯한 가죽의 질감, 누렇게 변색한 종이 냄새가 코끝을 스쳤다. 그리고 문득, 현관문이 덜컥 열리며 '삑' 소리와 함께 불이 켜졌다.

캐서린이었다. 그녀는 팔에 코트를 걸치고, 하이힐을 벗어 던지듯이 구석에 밀어 넣었다. 그날따라 뾰족한 굽이 바닥을 긁는 소리가 날카롭게 들렸다. 사이먼은 반사적으로 상체를 일으켰다. 그녀의 얼굴에는 피로가 짙게 깔렸고, 어느새 어깨에 걸친 코트는 무거운 하루를 대변하는 듯했다.

"오늘도 고생했어." 사이먼은 그녀를 향해 다가가며 말했다. 목소리엔 진심 어린 걱정이 담겨 있었다.

캐서린은 한 손으로 이마를 문지르며 답했다. "고생은 무슨…. 그냥 하루가 끝났을 뿐이야." 그녀의 목소리는 꺼져가는 불꽃처럼 희미했다. "그나저나, 아직도 안 자고 뭐 하는 거야? 벌써 새벽인데."

"잠깐만, 캐서린. 내가 오늘 할아버지 일기장에서 흥미로운 걸 발견했어."

"사이먼." 그녀는 한숨을 쉬며 코트를 벗어 소파 위에 던졌다. "지금 새벽이야. 이 시간에 그 얘길 또 꺼내는 거야? 종일 회의하고, 출장은 출장대로 지쳤어. 그만 좀 해, 응?"

"새로운 걸 발견했어!" 사이먼은 일기장을 손에 들고 그녀에게 다가갔다. "여기 봐. 할아버지가 1904년에 기록한 내용인데, 당시에도 지금의 세계 질서를 설명할 단서가 분명히 있단 말이야. 딥스테이트–"

"제발 그 정도만 해!" 캐서린이 목소리를 높였다. "사이먼, 나 지금 너무 피곤해. 네가 온종일 그 일기장을 붙들고 있는 건 알겠는데, 나까지 끌어들이지 마. 난 너처럼 쉴 시간이 없는 사람이야!"

"그런 말 하지 마, 캐서린." 사이먼의 눈에는 서운함이 비쳤다. "할아버지의 죽음도, 부모님의 사고도… 전부 연결되어 있을지도 몰라. 이걸 그냥 지나칠 수 없잖아."

그녀는 소리치며 테이블을 쾅 내리쳤다. 컵이 덜컹하며 흔들렸다. "네가 말하는 딥스테이트? 세상은 네가 생각하는 것처럼, 세상은 무슨 거대한 조직이 몰래 움직이는 곳이 아니라고. 생각보다 세상은 단순해. 국경이 있고, 공산주의와 자유민주주의가 갈등하는 것도, 그저 돈이 움직이는 대로 돌아갈 뿐이야!"

사이먼은 차마 그녀를 똑바로 바라보지 못하고 바닥으로 시선을 내렸다. 하지만 이내 말을 이었다. "그렇게 확신할 수 있어?" 그의 목소리가 흔들렸다. "너는 그냥 믿고 싶은 것만 믿으려는 거 아냐? 네가 눈앞에 있는 걸 보려 하지 않는 거라고. 난 뭔가를 느꼈다고. 이건 음모론이 아니야. 할아버지가 남긴 메시지는 분명히…"

"됐어, 사이먼." 캐서린은 한 손을 들어 그의 입을 가로막았다. "난 네가 이 집에서 지내는 하루하루가 버겁고 피곤해. 항상 네 말만 하고, 너의 과거만 들추잖아." 그녀는 깊은숨을 내쉬며 한 걸음 물러섰다. "다시는 이런 대화에 시간을 낭비하고 싶지 않아."

"그럼 대화조차 하고 싶지 않다는 거야?" 사이먼의 목소리는 떨렸다.
"그래." 그녀는 단호하게 말했다. "대화가 아니라 네 강박에 끌려다니는 거라고. 과거의 망령을 쫓는 데, 삶을 허비하고 싶지 않아. 사이먼." 그녀는 한참을 노려보다가, 자신의 코트를 다시 들고 현관문 쪽으로 걸어갔다. 그 앞에서 잠시 멈춘 그녀는 돌아보며 말했다. "우리… 이렇게 지낼 거면, 끝내자."
문이 '쾅'하며 닫히는 소리가 몇 초 동안 거실에 메아리쳤다.
사이먼은 멍하니 서 있었다. 그는 소파에 몸을 내던지며 속으로 조용히 중얼거렸다. "내가 잘못된 걸까? 아니면… 그녀가 진작 나를 떠났던 걸까?"
뉴욕의 어느 아파트 거실은 다시 적막만이 흐르고 있었다. 캐서린이 떠난 뒤, 사이먼은 멍하니 소파에 주저앉아 있었다. 잠시 후, 그는 무거운 마음을 억누르며, 자리에서 일어나 컴퓨터 방으로 걸어갔다. 책상 위에는 할아버지 유산 중 하나인 USB가 유난히 반짝거렸다. 한동안 그것들을 바라보다가 USB를 컴퓨터에 연결했다. "뭐라도 해봐야지."
삐 소리와 함께 작은 창이 열렸지만, 역시나 오늘도 아무 파일이 보이지 않았다. 그는 인터넷 브라우저를 띄우고, 검색창에 몇 가지 키워드를 입력하기 시작했다. 추운 새벽, 몸을 덥히기 위해 조금 전에 내린 커피잔에서 희미하게 퍼져나가는 냄새가 공기 중을 가득 채웠지만, 그의 코는 무감각한지 고소한 향기를 지나치고 있었다.
"캐서린…." 그는 여자친구의 이름을 되뇌며, 손끝으로 탁탁탁 키보드를 두드렸다. '결혼 상담', '부부 관계 회복법', '냉랭해진 연애를 되살리는 7가지 방법'…

"뭐야, 해법이 다 비슷하잖아. 감정을 이용해서 돈을 벌어보겠다는 수작인가?" 그는 손바닥으로 턱을 괴고, 블로그의 내용을 대충 훑었다. 싱거운 조언들—'서로의 눈을 바라보고 대화하세요', '작은 선물을 준비해보세요' 따위의 기계적인 문장이 화면을 가득 채웠다. "눈을 바라보고? 대화?… 좋아, 내가 뭘 잘못했는지도 모르는데 무슨 얘기를 하라는 거지?" 그는 블로그 창을 모두 꺼버렸다. 그리고 다시 검색어를 입력했다. '커플 상담 후기'. 이번엔 제법 리뷰가 많은 게시판이 떴다. "음, 여긴 좀 괜찮네." 게시물들을 스크롤하며 살펴봤다. 어떤 사람은 남편과 갈등을 극복한 이야기를 적었고, 또 다른 사람은 상담 후 헤어진 사연을 토로했다. 사이먼은 허공에 나직이 한숨을 내쉬었다. '상담? 캐서린에게 같이 가자고 하면, 쓴소리나 하겠지. 바빠서 시간도 못 낼 테고'

그러다, 구글 메인 화면의 오른쪽 하단에서 슬그머니 떠오르는 카드 뉴스를 바라봤다.

'스위스 대통령의 기축통화 유지 정책 vs 유럽중앙은행(ECB) 총재의 CBDC 옹호 정책'

제목의 글자들이 굵직하게 박혀 있었다. 클라인? 스위스 대통령? 사이먼은 어딘가 낯익은 이름에 살짝 미간을 찌푸렸다. "클라인이라…." 웅얼거리며 클릭하니, 화면이 바뀌며 기사가 떴고, 제목 아래에는 클라인이 연단에 서서 무언가를 연설하는 장면이 담긴 사진도 있었다. 바로 그때, 그의 머릿속에서 무언가 '툭'하고 스쳐 지나갔다. "설마…" 손끝을 부르르 떨며, 뉴스를 읽기 시작했다. 기사 내용은 클라인이 기축통화로 유로화를 고수하는 정책을 내세우며 스위스의 입지를 굳히려 한다는 이야기였다. 반면, 클라우스 하우저라는 유럽중앙은행 총재는 완전히 다른 견해를 밝히며 암호화폐와 CBDC(중앙은행 디지털 화폐)를 적극적으로 지지하고 있었다.

'이 둘이 서로 물고 뜯는 거 같은데?' 사이먼은 손가락으로 뉴스를 스크롤하며 더 깊이 들어갔다. 클라인은 전통 금융체제를 유지해야 국제사회의 안정을 지킬 수 있다고 주장했지만, 하우저는 그를 시대에 뒤떨어진 인물로 몰아세우며 미래는 디지털 화폐에 있다고 반박했다.

'뭔가 이상한데… 이렇게 대립할 이유가 뭐야? 그리고 스위스 대통령은 왜 바티칸 행사에 자주 얼굴을 들이미는 거지?'

사이먼은 의자에 등을 기댔다. 두 사람의 이름이 점점 그의 머릿속에서 엉켜갔다. 그 순간, 캐서린과의 관계 회복이라는 의도는 흐릿해지고, 그의 손가락은 이미 뉴스 속의 링크들을 하나하나 클릭하며 또 다른 정보를 찾아 나섰다. 한 페이지, 또 한 페이지… 그러다 알 수 없는 사이트로 이어지는 링크를 클릭한 순간, 화면에 갑자기 알 수 없는 창이 열렸다. 그리고 USB가 초록 불을 번쩍거리며, 어딘가 낯선 프로그램 창이 그의 눈에 서서히 들어왔다.

"뭐야, 이건…"

● **Exxx, Financial Tracking & Routing**

온라인 사이트가 아닌, 프로그램 창의 상단에는 간결하지만 기괴한 폰트로 'E.F.T.R'이라는 이름이 박혀 있었다. 그리고 프로그램의 화면은 복잡하기 이를 데 없었다. 중앙에는 세계지도가 떠 있었고, 살아있는 생물처럼 움직이는 실선과 점들이 곳곳을 연결하며 떠다니고 있었다. 각 선에는 붉은색, 파란색, 초록색, 노란색으로 표시된 데이터가 번갈아 깜빡거렸다. 지도 위에 겹쳐진 그래프는 무언가를 분석하고 있었지만, 그는 그게 무엇을 뜻하는지 짐작조차 할 수 없었다. 옆을 살펴보니, 달러($), 유로(€), 엔화(¥), 그리고 비트코인(BTC)과 같은 주요 통화와 암호화폐의 이름들이 화면 우측 상단에 정렬되어 있었다. 옆에는 화살표와 함께 '거래 중'이라는 표시와 실시간 숫자가 빠르게 오르락내리락했다. 그리고 화면 우측 하단에는 "Routing Log Detected"라는 경고창이 수시로 깜박였다. "클릭하시오"라는 글자는 없었지만, 그의 손은 이미 마우스를 그곳으로 옮겨가고 있었다. 클릭하자, 그래프와 지도는 완전히 새로운 형식으로 변형되었다. 전 세계의 주요 도시(파리, 런던, 뉴욕, 서울, 도쿄, 모스크바 등등)가 붉은 점으로 표시되었고, 그 사이를 무수히 엉킨 선들이 서로를 이어주고 있었다. 그리고 그 선마다 숫자와 화폐 기호들이 빼곡히 적혀 있었다.

'뉴욕 - 런던 - 바티칸'

'도쿄 - 취리히 - 프랑크푸르트'

선들은 마치 살아 숨 쉬는 정자처럼 꼬리를 흔들며 목적지를 향해 끊임없이 움직였다. 그리고 그가 무심코 클릭한 선 하나는 확대되며, 상세한 거래 기록을 보여주었다. "스위스에서 바티칸? 뭐야?"

숫자가 적힌 화면에는 스위스 프랑과 함께 몇억 단위의 달러 자금이 이동한 기록이 떠 있었다. 그리고 갑자기 프로그램은 새로운 창을 띄웠다. "Secure Encryption Detected. Access Key Required." 화면이 다시 번쩍이며, 새로운 데이터 흐름이 나타났다.

"이게… 자금 추적 프로그램이었단 말인가? 이 USB… 할아버지 유산이…" 자신도 모르게 중얼거렸다. 차가운 공기가 목 뒤를 스치며 전율이 흘러갔다. "이게, 진짜라고?" 그는 몇 번이나 두 눈을 깜빡일 수밖에 없었다. 그리고 디코딩 프로그램. 그는 자신만의 비밀 무기를 꺼내 들었다. 고아원 시절, IT수업 때마다 갈고닦은 기술이었다. 그땐 벌점을 받지 않기 위한 생존의 기술이었으나, 지금은 시스템을 뚫고, 숨겨진 데이터를 찾아내며, 세상의 벽을 넘어서는 법을 시도해야만 했다.

코드를 입력하자, 화면은 쉴 새 없이 데이터를 스캔했다. "코드 레이어 1 해제 중."이라는 문구가 떴고, 컴퓨터 팬이 윙윙거리며 열을 발산했다. 사이먼은 조심스럽게 화면을 주시하며 다음 단계를 준비했다. "자, 보여줘. 네가 숨긴걸."

코드가 풀리기 시작하자, 프로그램은 수많은 데이터를 뱉어냈다. 세계지도는 점점 더 촘촘한 선으로 엉켰고, 그래프에는 새로운 과거 기록도 추가되었다.

"1967년, 자금 이동… 이거를 눌러볼까?"

"금괴 수십 톤? 바티칸? 그때도 이탈리아라고?"

"밀반입 기록: 바티칸 성당 내 비밀 금고 보관"

그는 다시 데이터를 클릭하니, 과거의 자금 흐름이 시간순으로 더 뚜렷하게 드러났다. 그리고 현재에 가까운 시간 때일수록 "클라인"이라는 이름이 반복적으로 등장했다. "클라인, 스위스 은행… 그리고 666?"

'엘리자베스 클라인.' 스위스 대통령. '기축통화 보호와 암호화폐 금지.' 좀 전까지는 단순한 경제 정책이라 여겼던 것들이 완전히 다른 의미로 보였다. 브라우저를 열어 클라인에 관한 기사를 다시 검색했다. - 기축통화 정책과 암호화폐 정책을 둘러싼 논란. 모든 것이 새로웠다. 그리고 다른 지역에 비해 너무 많은 자금이 그리로 향했으며, 출처도 국민 세금이었다. 엘리자베스 클라인의 정부가 승인한, 합법으로 위장된 불법 거래.

특히나 이곳, "Vatican Vault 666", 프로그램 속에서 그의 눈길을 사로잡는 이 문구는 냉혹한 진실을 드러내는 것만 같았다. 클라인과 하우저, 두 사람의 대립은 정책의 차이가 아니었다. 클라인은 암호화폐를 적대하며 기축통화를 보호하려 하고, 하우저는 디지털 통화로 세계 경제를 재편하려 했다. '딥스테이트의 내부 권력 다툼… 내 생각이 옳다면, 캐서린이 틀린 것이다.'

"모든 게 연결돼 있어." 그러나 이것을 어떻게 활용해야 할지는 이해할 수 없었다. 두 손으로 머리를 감싸다가, 마우스를 꽉 쥐었다.

"이건 전쟁이야. 전쟁이라고! 세계 경제 중심에서 벌어지는, 보이지 않는 전쟁!"

"가문의 의무다. 이건 내 숙제야. 누군가 해결해야 한다면, 그건 내가 해야만 해!" 손바닥에서 제법 땀이 배어 나와 미끈거렸다.

그날 밤, 그는 자신이 가진 모든 자료를 정리했다. 파일을 헤집고, 디지털 데이터를 복사하며, 할아버지가 남긴 일기장을 다시 펼쳤다. 그 일기장은 수백 번 읽은 것이나 다름없었지만, 그는 마지막으로 다시 훑었다. 노랗게 바랜 페이지마다 자신이 가야 할 방향이 적혀 있는 것만 같았다. "이탈리아, 로마…"

새벽이 되어서야 그는 쪽지를 꺼내, 손으로 직접 글을 쓰기 시작했다. 한 자 한 자, 꾹꾹 누른 글씨체로.

캐서린,

이 글을 읽을 때쯤, 나는 아마 떠나고 없을 거야. 미안해, 더 얘기하지 못한 채 떠나서.
하지만 이건 내 가문과 관련된, 아니 내 정체성과 관련된 문제야.
과거를 꼭 찾아야만 해. 그동안 USB와 할아버지의 기록에서 내가 알게 된 것들…
이 모든 걸 따라가야 해.

우리는 25년을 함께 했지. 네가 없었다면, 여기까지 오지도 못했을 거야.
네가 내 옆에 있어 줬기에 내가 버틸 수 있었어. 고마워, 정말.

내가 이 여정을 마치고, 만약 네가 그때도 결혼하지 않았다면… 나에게 다시 한 번
기회를 줄 수 있을까? 네가 행복하길 바라면서도, 너 없는 내 미래는 상상하기 힘들어.

그리고 여기, 할아버지의 일기장을 두고 갈게. 네가 읽어보길 진심으로 바라. 나는 이미 이걸
외울 정도로 읽었으니, 이젠 네가 한 번 봐줬으면 좋겠어.

이탈리아로 떠날게. 로마에서 모든 것을 찾아내겠어.

사이먼

편지와 함께, 할아버지 일기장을 거실 테이블 위에 가지런히 올려놓았다. 그리고 몇 번이나 편지를 다시 읽었다. 글자 하나하나에 담긴 감정을 확인하듯이.

그리고 자신의 모은 돈을 확인했다. 피촌 미디어에서 청소용역으로 일하며, 5년간 모은 돈은 약 42,000달러였다. 밤낮으로 일하며

아끼고 아낀 결과였다. 이 돈은 캐서린과의 결혼 자금이었으나, 이제는 생존과 진실을 찾는 데 쓸 자금이었다.

컴퓨터 방으로 돌아와, 뉴욕에서 가장 빠르게 로마로 떠날 수 있는 비행기를 검색했다. JFK 공항에서 오전 8시에 출발하는 비행기가 가장 빠른 선택지였다. 예약 버튼을 클릭한 후, 단출한 가방에 몇 벌의 옷과 필수품만 챙겼다. 지갑과 카드, 그리고 USB를 꼭 붙들었다. 거울 앞에서 자신의 모습을 확인했을 때, 그의 눈은 깊고 어두웠다.

택시를 불러, 공항으로 향했다. 뉴욕의 새벽 공기는 차가웠고, 창밖으로 보이는 도시의 불빛은 무언가를 암시하는 것처럼 깜빡였다. 그는 조용히 창문을 열고, 도시를 바라보았다.

택시는 공항 근처로 다가갔고, 그는 지갑에서 돈을 꺼내 운전사에게 건넸다. "여기서 내려주세요."

공항 입구에 들어서며 자신의 가방을 꼭 쥐었다. "모든 답은 로마에 있다. 그곳에서 시작된 것이니까, 거기서 끝을 내야겠지." 사이먼은 황급히 보안 검색대를 통과하며, 머리를 뒤로 쓰다듬었다. 그의 앞에 펼쳐질 진실은 어떤 모습일지 알 수 없었지만, 앞으로 나아가고자 하는 의지는 상당히 결연했다.

'부모님과 할아버지의 죽음, 그리고 매년, 로마로 향하는 금괴와 수천억 달러.' 무슨 관계가 있을까.

제2부 또 다른 인연

제1장 이탈리아, 로마에서

JFK 공항에서 이륙한 비행기는 약 8시간 반의 비행 끝에 로마 피우미치노(Fiumicino) 공항에 도착했다. 비행 내내 사이먼은 차분해 보였지만, 마음속은 복잡하게 얽혀 있었다. "내 가문, 내 가족, 나의 뿌리… 이 모든 걸 알아낼 수 있을까?" 창밖으로 어둑한 대서양이 흐르고, 비행기 창에 새벽빛이 스며드는 모습을 보며 생각에 잠겼다.

마침내, 비행기는 로마 현지 시각, 오전 8시 30분쯤 착륙했다. 뉴욕과는 확연히 다른 공기였다. 회색빛 하늘과 차갑고 기계적인 도시와 달리, 화사한 햇빛이 대리석 건축물 위로 부드럽게 내려앉고 있었다.

그는 로비를 지나며 주변을 둘러봤다. 바쁘게 움직이는 여행객들 속에서도 이탈리아만의 고풍스러운 분위기가 물씬 다가왔다. 바닥은 광택이 나는 대리석으로 덮여 있었고, 천장엔 르네상스 시대를 연상시키는 화려한 장식들이 눈길을 사로잡던 와중. 로비 한쪽엔 어린 꼬마들이 깔깔거리며 뛰어다녔다. "Mamma mia! Dov'è la mia valigia?" 어떤 남자는 고개를 이리저리 돌리며 짐을 찾고 있었고, "Andiamo, andiamo! Presto!" 직원들이 커다란 손짓과 함께 승객들을 이끌며 목소리를 높였다. 이곳 사람들은 분주하면서도 확실히 어딘가 느긋해 보였고, 대화 하나하나에 열정이 묻어났다. 건물 디자인과 사람들의 열의뿐만 아니라, 사이먼이 입구를 향해 걸을 때마다 커피 향이 코끝을 스치며, 깊고 묵직한 에스프레소의 향이 온몸 구석구석 배어 있었다. 심지어, 근처 작은 키오스크에서는 크루아상과 "cornetto al cioccolato"가 가지런히 진열돼 있었고, 고소한 냄새가 달콤하게 퍼져 있었다.

"Signore, posso aiutarti?"

한 직원이 사이먼을 힐끔 보며 다가와 말을 걸었다. 그리고 이내, 미소를 지으며 머리를 살짝 숙였다. 사이먼은 고개를 저으며 공손히 거절했지만, 그 순간 이탈리아 사람들의 자연스러운 친절함이 새삼스레 다가왔다.

공항에서 나온 그는, 택시를 타고 로마 중심지로 향했다. 오래된 대리석 건축물과 녹음이 우거진 공원들, 그리고 천 년의 역사를 품은 도시의 숨결.

택시 기사가 손가락으로 가리키며 말했다. "저기, 콜로세움이에요. 로마의 상징이죠."

택시에서 내려 작은 카페의 테라스에 앉아, 짐을 정리하던 사이먼은 스마트폰을 열었다. 뉴욕에서 사용하던 뉴스 앱이 자동으로 업데이트되더니, "ECB 총재 클라우스 하우저 자살"이라는 헤드라인이 떴다.

그는 급히 기사를 열었다. ‘독일 출신으로 유럽중앙은행(ECB)을 이끌던 클라우스 하우저가 오늘 아침, 자택에서 숨진 채 발견됐다. 경찰은 타살의 가능성을 배제하지 않고 있다.’

사이먼은 잠시 손을 떨며, ″클라우스 하우저…″ 뉴욕에서 그의 이름을 조사하던 기억. ″그가 딥스테이트의 실체로 밝혀지기 직전이었다는 음모론이 있었는데… 설마…″ 의심을 떨칠 수 없었다. 금세 카페를 나와 일기장을 되새겼다. ‘로마. 도서관. 우리 가문이 찾는 답은 여기에서 시작된다’ - 프리메이슨의 뿌리와 고대 로마의 연결고리를 찾을 단서가 그곳에 숨겨져 있다는 내용으로 추측했다. 곧장 바티칸으로 향하기보다는 우선 그곳을 들르기로 경로를 수정했다. 그리고 택시를 다시 불러 도서관의 주소를 운전사에게 보여줬다. ″빌라 주스티니아니 도서관″이라고 적힌 주소를 본 기사는 고개를 끄덕였다.

“조용한 곳이죠. 고대 문서들이 많이 보관된 곳입니다.”

택시가 도서관으로 향하는 동안, 조각상이 줄지어 늘어선 거리, 아우구스투스의 영묘가 보이는 풍경, 길가에 늘어선 올리브 나무와 포도 덩굴까지.

빌라 주스티니아니 도서관은 작은 보석처럼 단아한 건물이었다. 그러나, 가까이 다가갈수록 품고 있는 오래된 무게감과 어떤 설명할 수 없는 에너지가 피부를 간질였는데, 건물의 외벽은 세월에 바랜 듯한 석회암으로 만들어져 있었고, 곳곳에 고대 로마 시대의 흔적이 새겨져 있었다. 벽면 아래에는 희미하게 보이는 고대 라틴어 문구들이 방문객들에게 조용히 무언가 비밀을 속삭이는 듯했다.

도서관의 입구에 자리 잡은 청동 문은 무언가 의도된 듯한 기하학적 문양이 새겨져 있었다. 복잡하게 얽힌 원형과 삼각형의 배열, 그리고 사이사이 자리 잡은 작은 별 모양까지.

그 문양들은 얼핏 보기에 무작위처럼 보였으나, 자세히 들여다보면, 완벽히 계산된 배치처럼 보였다. 사람들은 이것이 단순히 미학적인 요소라고 생각할지도 모른다. 그러나 사이먼은 알 수 있었다. 이 패턴 속에도 숨겨진 코드가 있다는 것을.

입구의 문 위로는 작은 라틴어 문구가 새겨져 있었다. "Veritas semper supra potestatem(지상의 진리는 항상 지상의 것이다)." 그리고 청동 문에 새겨진 천칭, 무게를 결정하는 추들 사이에 아주 미세하게 새겨진 글귀들이 반짝였다. 그는 몸을 숙여 글귀를 읽으려 했지만, 글자들이 빛에 반사되어 똑바로 읽을 수가 없었다. 마치 직접적인 해답을 내주지 않으려는 도서관의 방어막처럼 느껴졌다.

청동 문을 열고 들어서자, 천장은 돔 형태로 솟아 있었다. 그 표면에는 한 시대의 신화를 담은 듯한 그림들이 펼쳐져 있었는데, 어떤 장면은 고대 로마의 신들이 연회를 벌이는 모습이었고, 또 다른 장면은 거대한 불꽃 속에서 등장하는 정체불명의 인물들이었다. 그러나, 그중 가장 시선을 사로잡은 것은 돔 중앙에 자리 잡은 상징이었다. 작은 원을 둘러싸고 수십 개의 방사선처럼 뻗어 나가는 형태였는데, 이는 고대 로마에서 흔히 '태양의 기원'이라고 불렸다. 이처럼, 도서관의 내부는 고풍스러운 가구들과 어둑한 조명 아래책장은 은은한 광택을 냈고, 흠집이 군데군데 자잘하게 나 있어 긴 세월 동안, 이곳을 지나간 손길들의 흔적을 보여주었다. 자세히 살펴보면, 책장마다 작은 기호들이 음각으로 새겨져 있었는데, 거대한 나무 십자가가 변형된 모양들이었다.

사이먼은 순간, 책장 위에 얹혀 있는 두 개의 작은 조각상에 눈길을 멈췄다. 한 조각상은 올리브 나뭇가지를 든 여성의 형상이었고, 다른 하나는 고대 로마의 키루스 문장을 닮은 독수리 형상이었다. 그는 다시 고개를 들고 책장을 따라 걸음을 앞으로 쭉 옮겼다. 사람들은 많지 않았지만, 그나마 있던 몇몇은 나무 의자에 앉아서 속삭이거나, 조용히 책을 읽고 있었다. 사이먼은 카운터로 다가가 목소리를 낮추며 물었다. "저기, 혹시 고대 로마와 관련된 프리메이슨 자료를 열람할 수 있나요?"

도서관 사서가 고개를 들며 사이먼을 힐끔 쳐다봤다. 그 눈빛엔 묘하게 사람을 꿰뚫는 듯한 기운이 담겨 있었다. 사서는 잠시 머뭇거리다 책장을 넘기던 손을 멈추고, 미소를 지으며 물었다. "흥미롭군요. 그런 자료를 찾는 분은… 음, 1년에 한두 번 올까 말까 하거든요. 혹시 학자신가요? 아니면… 그냥 호기심이?"

사이먼은 미소로 답을 대신했다.

사서는 고개를 끄덕이며, 데스크에 놓인 서류철을 가볍게 톡톡 두드렸다. "프리메이슨… 사람들이 흔히 음모론이라고 치부하지만, 사실 오래전부터 존재했던 조직이에요. 고대 로마로 거슬러 올라가면, 이 조직이 단순한 비밀결사 이상이었다는 흔적들이 남아 있죠. 물론 그게 지금도 이어졌는지는 모르겠지만요."

사이먼의 눈이 반짝였고, 그제야 입을 열었다. "이어졌는지요?"

사서는 어깨를 으쓱이며 "그건 저도 몰라요. 하지만 가끔 지하 보관실에 들어가다 보면… 뭔가 설명할 수 없는 기운을 느껴요. 고대 문서들이 쌓여 있는 그곳은, 특별해요." 그리고 말을 멈추더니 사이먼 얼굴 가까이 다가와 덧붙였다. "솔직히, 제가 이 도서관에서 일하는 이유가 그것 때문일지도 몰라요. 누군가 들어와서 그런 자료를 찾는 모습을 보면, 저도 괜히 궁금해지거든요."

사이먼은 웃으며 고개를 끄덕였다. "아, 저도 한때는 그런 이야기가 전부 음모론이라고만 생각했으니까요."

사서는 미소를 지으며 서류철을 열더니, "그렇게 생각하는 게 정상이에요. 하지만 가끔 현실이 영화보다 더 영화 같다는 걸 느낄 때가 있지 않나요? 지하 보관실에 들어가면… 그런 순간을 체감하실 수도 있을 겁니다. 물론, 특별 열람 신청을 하셔야 해요. 규칙은 엄격합니다. 사진 촬영 금지, 대여 금지, 문서 훼손 금지…"

그녀는 열람 신청서를 사이먼 앞에 밀어놓았다. “여기 서명하시면 됩니다.”

사이먼은 살짝 미소를 지으며 말했다. “감사합니다. 호기심은 사람을 위험한 길로 이끌기도 하지만, 동시에 진실에 다가가는 유일한 방법이기도 하죠.”

사이먼은 마저, 신청서를 작성하고, 지하 보관실로 안내받았다.

“그럼 저기, 화장실 보이죠? 그 옆 계단으로 내려 가보세요. 앗 그리고 문을 열 때 삐걱거리는 소리가 날 거예요. 조금 불편하더라도, 멈추지 말고 계속 들어가세요. 가끔 들어갈 때마다 저도 심장이 쿵쾅거린답니다. 행운을 빌어요.”

그녀의 말대로 좁은 나선형 계단을 따라 내려가자, 벽면에는 바짝 마른 이끼가 얼룩처럼 붙어 있었고, 공기 중에는 녹록한 종이 냄새와 함께 오래된 가죽과 잉크, 그리고 약간의 곰팡내가 섞여 있었다. 마침내, 그는 마지막 계단에 도착했다. 조그만 철제문이 앞을 가로막았고, 거칠게 녹슨 손잡이를 쥐자, "끼익–" 둔탁한 소리와 함께 문이 열렸다.

방은 의외로 넓었지만, 어두운 조명 탓에 한눈에 보이지는 않았다. 희미한 노란빛을 내는 작은 샹들리에가 천장에 매달려 있었지만, 오래된 책장 사이를 간신히 비출 뿐이었다. 벽을 따라 서 있는 높다란 책장들은 잔뜩 웅크린, 늙은 수도사들처럼 조용히 숨을 죽이고 있었다. 빛이 닿지 않는 구석은 마치 어둠이 살아 숨 쉬는 것처럼 깊고도 캄캄했다. 고요한 침묵만이 사방을 둘러싸니, 그의 숨소리조차 크게 느껴졌다. 하물며, 가끔은 “딱, 딱…” 천장에서 물방울

같은 것들이 떨어지는 소리도 들렸다. 그리고 책장마다 진열된 문서들은 저마다 다른 세월을 담아냈다. 가죽으로 제본된 고서, 양피지에 필사된 문헌, 손으로 눌러쓴 오래된 필기장들… 어떤 것은 봉인된 채 실로 묶여있었고, 어떤 것은 표지가 완전히 부서져 내부 종이조차 흩어져 있었다.

사이먼은 조심스레 발을 디뎠다. 걸음을 옮길 때마다 먼지가 천천히 공중으로 흩어졌다. 조금 더 들어가자, 방 한가운데엔 기다란 원목 테이블이 있었고, 그 위에는 몇 개의 촛대가 놓여있었다. 촛불이 파르르 떨리며 벽에 흐릿한 그림자를 만들 때마다, 몇몇 책장에 새겨진 기이한 문양이 눈에 들어왔는데, 피라미드 모형과 눈 모양의 문양이 낡은 나무 위에 선명히 남아 있었다. 그는 그 문양이 보일 때마다, 발걸음을 멈추고 책장 앞에서 서성거렸다. 문득, 저 멀리 책장 사이에서 희미한 먼지가 일렁였다. '누군가… 조금 전까지 여기 있었던 걸까?' 그 생각이 스쳐 지나가자, 촛불이 일제히 흔들렸다. 바람 한 점 없는 지하실에서.

사이먼은 대수롭지 않게 생각하며, 손가락으로 다시 그 문양의 가장자리를 더듬었다. "여기에 할아버지가 남긴 비밀이 있을 거야."

그때, 등 뒤에서 깊고 낮은 목소리가 들렸다. "당신은 누군가?"

사이먼은 천천히, 아주 천천히 돌았다. 그의 풍채는 마치 이곳의 어둠과 하나였던 것처럼 압도적이었다. 자세히 살펴보니, 그렇지는 않았다. 뒤로 늘어선 그림자 때문에 그렇게 보였을 뿐. 중년쯤 돼 보였다. 굳게 다문 입술, 날카로운 매부리코, 그리고 짙게 패인 주름조차도 강인한 인상을 더 했다. 피부는 올리브 빛을 띠었고, 깊숙한 눈매는 어딘가 신비로우면서도 무섭도록 침착했다. 옷차림은 검은색 카프탄(긴 외투)이 발목까지 내려왔고, 안쪽에는 하얀 리넨 셔츠가 엿보였다. 손목에는 섬세한 금실로 짜인 문양이 박혀 있었는데, 그것은 고대 유대인들이 신성한 기도를 올릴 때 입던 의복과 비슷했다. 허리춤에는 가느다란 가죽끈이 둘려 있었고, 손가락에는 작은 은반지도 끼고 있었다. 희미하게 새겨진 글자가 보였지만, 빛이 약해 정확한 문구는 알아보기 힘들었다.

"여긴 아무나 오는 곳이 아니오."

"난…" 사이먼은 잠시 말을 더듬다가, 조부의 일기를 따라 이곳에 왔다는 말을 하지 않고 대답했다. "그냥 역사를 연구하러 왔습니다. 당신은 누구신가요?"

그 남자는 사이먼에게 한발 다가서며 말했다. "내 이름은 에스텔 라파엘. 이 책장을 찾으러 오는 사람을 10년 동안 기다려왔소."

"10년 동안요? 그럼 누가 찾아올 거라는 걸 미리 알고 계셨던 건가요?"

라파엘은 미소를 지으며 고개를 끄덕였다. "어느 나라에서 왔지?"

"뉴욕에서 왔습니다." 사이먼은 솔직히 대답했다. "그런데 당신은… 어떻게 여기서 지내셨나요?"

라파엘은 책장을 가리키며 말했다. "이 수많은 책이 나의 친구요. 세상 사람들은 잊었을지 모르지만, 이 책들 속엔 세상을 움직이는 진실이 담겨 있지." 그는 천천히 걸어가더니, 한 책장을 가리켰다. "De Architectura Occulta(숨겨진 건축술에 대하여)라는 책을 찾아보게. 당신이 찾는 답이 그 안에 있을지도 모를 테니."

사이먼은 그가 가리킨 곳으로 다가갔다. 라틴어로 된 금박 글씨가 어렴풋이 시야에 들어왔다. 손을 뻗어 책을 끄집어내려 하는 순간, 갑자기 어지러웠다. 정신을 집중해서 손끝에 힘을 주자, 책이 툭― 하고 선반에서 미끄러져, 바닥으로 곤두박질쳤다.

'텁.'

무겁지도, 가볍지도 않은 둔탁한 소리가 지하의 고요를 깨웠다. 그러나 그때부터, 모든 것이 이상했다. 머리가 무겁게 짓눌리는 것 같았고, 팔은 저릿저릿했다. 라파엘의 목소리가 점점 멀어져 갔다.

"무슨 일이냐?!" 라파엘은 다급히 물었지만, 사이먼은 그의 목소리도 제대로 들을 수 없었는지, 눈앞이 흐릿해지며 책장이 기울어지는 듯했다. 두 다리에서도 힘이 빠지더니, 그 감각이 척추를 타고 기어올랐다. 마침내― 세상이 휘청거렸다. 어느새 그의 뺨은 차가운 돌바닥에 닿았고, 마지막으로 보인 것은, 흐릿한 시야 너머에서 자신을 내려다보는 라파엘의 그림자였다.

지하 도서관은 침묵에 잠겼고, 공중으로 부유했던 수많은 먼지는 천천히 내려앉았다.

사이먼은 천천히 무거운 눈꺼풀을 올렸다. 이윽고, 몸을 움직이려 했지만, 팔다리가 얇고 질긴 천으로 손목과 발목을 단단히 감싸고 있었다. 피부 위로 거친 섬유의 감촉이 느껴졌다. 차가운 돌바닥이 등을 짓누르며, 그가 단단한 어딘가에 묶여있음을 알려주었다. "여기는 어디지?"

"너야말로 도대체 누구지?"

사이먼은 목을 축이려 침을 삼켰지만, 목구멍이 바싹 말라붙었던 지라, 간신히 입을 열 수 있었다. "내 이름은 사이먼… 아까 말했다시피, 내 과거를 찾으러 왔다."

드리운 그림자 속에서 아까 그 사람이 모습을 드러냈다. 방 안의 촛불이 그의 얼굴을 어슴푸레하게 비추었고, 얼핏 보기에 손가락 마디마디엔 세월이 새겨진 듯 깊은 주름이 있었다.

"네 과거?" 에스텔 라파엘은 코웃음을 쳤다. "어디까지 알고 있지?"

"조부의 일기장을 봤어."

그 말을 듣자, 남자의 눈빛이 한층 날카로워졌다. "그 일기장은 어디 있지?"

사이먼은 반사적으로 몸을 뒤틀며, 묶인 상태에서도 허리춤을 더듬었다. 가방. 가방이 필요했다. 하지만 그의 손끝이 닿는 곳엔 아무것도 없었다.

"내 가방… 어디 있지?"

남자는 그를 물끄러미 바라보다가 천천히 입을 열었다. "이미 버렸어."

"뭐?" 사이먼의 눈이 휘둥그레졌다.

"그 가방은 이미 독에 감염됐어. 사용할 수 없는 상태였다."

"독? 그렇다면, 아까 쓰러진 것도 그 영향이었나?"

남자는 조용히 고개를 끄덕였다. "그 책의 표면과 주변 바닥에는 의식 독성물질이 퍼져 있었다."

사이먼의 뇌리에 아까 책을 집어 들었을 때의 기억이 스쳤다. 손끝에 감돌던 미세한 감각. 그리고 책이 바닥에 떨어지던 순간부터 서서히 번지던 무력감.

남자는 천천히 자신의 주머니를 뒤적이더니, 사이먼의 가방에서 꺼낸 지갑과 약간의 현금을 선반 위에 올려놨다. "필요할 것 같아서 챙겼다."

"USB는 어디 있지?"

"그런 건 보지 못했다." 남자는 가볍게 숨을 고르더니, 천천히 물었다. "과거 십자군 전쟁, 종교개혁, 1차 세계대전… 이런 역사에 대해 얼마나 알고 있나?"

"그건 나에게 중요한 물건이라고! 역사는 일기에… 간단히 적혀 있었어." 사이먼은 조심스럽게 입을 열었다. "딥스테이트들이 어떻게 움직였는지, 전쟁이 어떻게 일어났는지는 자세히 몰라. 하지만…" 그는 숨을 들이마셨다. "그들이 아직도 활동하고 있다는 것은 알아…."

남자는 아무 말 없이 그를 바라봤다. 긴 정적이 흘렀다. 그리고 그 순간, 어두운 천장의 그림자가 촛불에 흔들렸다. 마치 저 깊은 어둠 속에서 또 다른 존재가 그들의 대화를 듣고 있는 것처럼.

몇 분간의 침묵이 흘렀고, 사이먼이 먼저 입을 열었다. "일기장에서… 프리메이슨만 언급된 게 아니었어. '네메시스'라는 단어도 끝자락에 몇 번이나 언급되었거든."

에스텔 라파엘이 미묘히 입꼬리를 올렸다. "그래, 네메시스." 그는 천천히 방 한 바퀴 돌며, 손끝으로 벽을 쓸어올렸다. "그들은 단순한 후계 조직이 아니야. 오히려 원형을 보존하고, 더 변형시킨 광적인 존재들이었지."

"프리메이슨이 사라진 이유가 그들과 관련이 있다는 건가?"

라파엘이 고개를 끄덕였다. "1884년. 동양에서 건너온 화교 자본가들이 유럽의 금융을 쥐어가는 유대인과 결탁하여, 프리메이슨의 잔당을 하나둘 제거했지. 그리고 그 위에 새로운 조직을 세웠다. 지금은 평등을 유지한다는 명목하에 공포와 질서를 퍼뜨리는 자들… 네메시스."

사이먼은 머리를 저었다. "균형과 질서? 무슨 뜻이지?"

"네메시스는 질서를 위해 희생을 강요하는 조직이다. 세계는 그들에게 통제되지 않으면 붕괴하는 곳이지. 철저한 희생의 원리를 바탕으로 권력을 유지하고, 신념을 강요하거든. 성경을 반대로 해석하며, 인류의 구원은 악마의 등장으로부터 온다고 믿는 자들이다." 라파엘이 다시 걸음을 멈추고 사이먼을 내려다보았다. "그들은 단 하나의 목표를 향해 달려왔다. '완전한 통제'. 자유는 그들에게 불필요한 요소였지."

사이먼은 목이 타는 기분이었다. ″그럼, 그들과 싸우는 세력이 있었어?″

라파엘은 깊은 한숨을 내쉬며, 어두운 천장을 올려다보았다. ″프리메이슨이 먼저 그들을 제거하려고 계획했지.″

사이먼은 머리를 감쌌다. ″무슨 소리인지 전혀 모르겠어.″

라파엘은 짧게 웃었다. ″그게 문제지. 선과 악이란 건, 보는 관점에 따라 다르거든. 또 다른 누군가는 다양한 차이를 인정하는 듯하지만, 그들도 인류를 조종하기 위한 수단일 뿐.″

사이먼은 천천히 숨을 들이마셨다. ″그렇다면, 프리메이슨은 왜 사라진 거지?″

라파엘은 씁쓸한 표정을 지었다. ″프리메이슨은 본래, 로마가 카르타고를 멸망시키는 과정에서 탄생했다. 카르타고의 종교와 의식을 흡수해 자신들만의 지배 체계를 만들었지. 하지만 결국, 역사는 반복되는 법. 그들을 제거한 후계자들은 살아남기 위해 변해야 했어. 더 냉혹하고 잔인한 방식으로 세계를 움직이기 시작했으니 말이야.″

사이먼은 생각에 잠겼다. ″그럼 지금 살아남은 건… 네메시스뿐이군.″

라파엘이 천천히 고개를 저였다. ″아니야. 이 세계에는 두 개의 거대한 그림자가 남아 있지.“

″네메시스와 대항하는 그림자라는 말이로군. 그들은 누구지?″

″에덴.“

″에덴? 그들은 어디에 있지? 그럼, 암호화폐와 기축통화의 전쟁은 네메시스와 에덴의 전쟁이었던 건가?″

라파엘은 입술을 굳게 다물었다. 방안은 다시 침묵에 잠겼고, 횃불의 불빛이 희미하게 흔들리며, 두 사람의 그림자를 벽에 길게 드리웠다. 사이먼은 이해하려 애썼다. 하지만, 그가 느낀 건 단 하나였다. 세상 사람들이 배우는 역사와 세계는, 확실히 조작된 결과였다.

사이먼은 라파엘에게 물었다. "왜 그들은 이런 짓을 벌이는 거지? 기득권을 공고히 하려는 방법인가? 최근에는 클라인, 하우저의 통화전쟁처럼, 과거 전쟁도 그랬다는 뜻이야?"

라파엘 에스텔은 담배를 물었다. 불을 붙이지도 않은 채, 가느다란 담배 끝을 손가락으로 튕겼다. "그렇지. 전쟁이 왜 돈이 되는지 알고 싶다는 건가? 그건 답하기 너무 쉬운 질문인데." 그는 입꼬리를 올리며, "그래, 현재도 진행되는 이야기야. 아주 오래전부터 인간은 전쟁을 통해 부를 쌓아왔지. 하지만 권력자는 전쟁을 주도한 하수인들이 아니라, 그 전쟁을 설계한 놈들이었어. 예를 들어보지. 네가 거대한 무기 공장을 가지고 있다고 생각해봐. 전쟁이 터지면? 미사일이, 총알이, 탱크가, 전투기가 필요하겠지. 너는 이 모든 걸 팔아. 그런데 전쟁이 끝나면? 공장이 멈추고, 돈이 안 돌아. 그러니까 계속 전쟁을 만들어야 해. 전쟁이 나면 사람들이 겁에 질려 정부가 군비를 확장하고, 더 많은 무기를 사들이거든."

그는 잠시 뜸을 들였다. "그런데 전쟁을 일으키려면 뭐가 필요할까? 그냥 아무 이유 없이 총을 들고 싸울 순 없잖아. 국민에게 명분을 줘야지. 그래서 네메시스 같은 놈들이 필요한 거야. 그들은 전쟁의 명분을 만들지. '국가의 안보가 위협받고 있다!' '악마들이 우리를 공격하려 한다!' 같은 것들 말이야. 그리고 언론을 이용해 전쟁을 지지하는 여론을 조작하지. 그럼 정치인들은? 군수 산업에서 뇌물을 받고 전쟁을 승인해. 마치 우연인 것처럼, 마치 당연한 흐름인 것처럼. 하지만 실상은 아주 잘 짜인 각본이지. 대부분 정치인은 장기판의 말이야."

사이먼은 입술을 깨물었다. "만약 전쟁을 패배한다면?"

에스텔이 피식 웃었다. "전쟁에서 패배한다고? 상관없어. 무기를 팔았으니 이미 돈을 벌었잖아. 게다가 전쟁이 끝나면, 패배한 나라가 배상금을 내야 해. 그 돈이 어디로 가는 줄 알아? 국제 금융 재벌들이 장악한 은행들로 들어가. 그 돈을 다시 대출해주면서 나라의 경제를 쥐락펴락하지. 결국, 패배하든 승리하든, 세력의 영향력은 변하지 않아."

"전염병도 마찬가진가?" 사이먼이 물었다.

"그건 더 간단해, 전쟁은 너무 노골적일 때가 있거든. 하지만 전염병은? 완벽하지. 흑사병, 스페인 독감, 인구를 조정할 수 있는 가장 손쉬운 방법이야. 노동력이 너무 많으면 임금이 떨어지지만, 너무 부족하면 경제가 무너져. 적당히 죽어 나가야 경제 구조가 유지되거든."

"말도 안 돼…" 사이먼이 나지막이 중얼거렸다.

"말이 안 된다고?" 에스텔이 그를 빤히 바라봤다. "잘 생각해봐. 전쟁이 날 때마다 누가 돈을 벌었는지, 경제 위기가 올 때마다 누가 더 부자가 되었는지. 항상 같은 놈들이야. 그들은 언제나 전쟁을 일으키고, 전염병을 퍼뜨리고, 혁명을 조장하지. 노동자들이 들고일어나면? 혁명을 지원하는 척하면서 결국 그 산업까지 빨아들이고,

노동조합을 자기들 입맛에 맞게 조정하지. 나라가 독립하면? 새로운 정권을 세우면서 그 배후에서 경제를 조종하지. 항상 같은 패턴이야." 에스텔 라파엘은 담배를 손가락 사이에 돌리며 사이먼을 노려보았다.

"말도 안 돼." 사이먼의 목소리는 꽤 거칠었다. "전쟁과 전염병을 일부러 일으키는 게 인간적이라고 생각해? 그런 방식으로 세상을 움직이는 놈들이 어떻게 최고 권력층이 될 수 있지?"

라파엘은 한쪽 눈썹을 치켜세우며 그를 바라봤다. "그게 네가 사는 세계야. 네메시스든, 프리메이슨이든, 역사에서 늘 이기는 자들은 그런 식으로 판을 짰어. 인간적이냐고? 그런 개념은 저들에겐 애초에 존재하지 않아. 국경도 없고, 국민도 없고, 오로지 세계를 지배하는 영향력을 행사할 뿐. 네가 말하는 인간성이란 건, 힘없는 자들이 지키는 허울뿐인 가치일 뿐이야. 잘 생각해보라고! 지금 미국, 유럽, 중국 등등의 나라는 단지, 권력자들을 위한 세계경제포럼 어젠다 2030을 따라가는 거란다. 미래를 알 수 있으면 누구든 돈을 벌겠지. 핵심은 그 미래를 누가 정하느냐 이거다."

사이먼은 이를 악물었다. 그의 손이 주먹을 쥐었다가 풀리길 반복했다. "그래서, 네 말은 내가—" 그는 말끝을 흐렸다. 차마 입 밖으로 꺼내기 힘든 문장이었다. "나도 그런 놈들 피를 이었단 거냐?"
라파엘은 조용히 그를 바라봤다. "네 혈통을 따지는 건 중요하지 않아." 그는 담담하게 말했다. "중요한 건 네가 지금 어디에 서 있느냐는 거지."

사이먼은 피곤했는지, 눈을 감았다가 천천히 떴다. '프리메이슨 가문에서 태어났다는 것', 그 가문이 네메시스 같은 집단으로 변질되어왔다는 사실이 그를 짓눌렀다. 피 속에서 들끓는 무언가가 있었다. 역겨움이 치밀었다. "그런 짓을 하고도 하나님께 당당할 수 있는가?"

라파엘은 아무런 표정도 짓지 않았다. 하지만 그의 눈빛이 동요하는 것처럼 흔들렸다. "네가 뭘 느끼든 상관없어. 진실은 변하지 않으니까."

사이먼은 이를 악물었다. 그의 세계가 무너지고 있었다. 그 순간, 문득 떠올랐다. "그렇다면…" 사이먼이 숨을 고르고 물었다. "에덴은 대체 뭐 하는 조직이지?"

"에덴에 대한 정보는 부족해. 내가 아는 건 단 하나, 베르사유 조약을 기점으로 네메시스에서 분열된 조직이라는 것뿐이야. 여기 고대서에도 정보가 나오지 않아. 대략, 1920년쯤 유대계 자본으로 에덴이 창설되었다는 것."

사이먼은 숨을 삼켰다.

"아. 2차 세계대전 이후," 라파엘이 말을 이었다. "1948년, 에덴은 유대인 중심으로 활발히 움직이기 시작했어. 하지만 그 이후로는?" 그는 천천히 고개를 저었다. "모두 베일에 가려졌어. 문서에도, 역사에도, 심지어 그들이 남긴 흔적조차 없어."

사이먼은 믿을 수 없다는 듯 고개를 저었다. "전혀 정보가 없다고?"

"그래." 라파엘의 눈빛이 깊어졌다. "네메시스의 뿌리는 파헤칠 수 있어. 하지만 에덴은… 그들은 마치 존재하지 않는 단체처럼 움직였어. 마치, 역사 자체를 다시 쓰겠다는 듯이."

사이먼은 차갑게 식어가는 공기를 느꼈다. 과거 '프리메이슨', '네메시스'-세계를 쥐락펴락하는 세력들 그리고 그들에 대항하는지 모르겠으나 매우 비밀스러운 단체인 '에덴'까지. 그는 주먹을 쥔 채 말했다. "그렇다면 더 정확히 알아갈 방법이 있나? 난 이 세 개의 조직에 대해 더 깊이 알고 싶어."

라파엘은 가만히 사이먼을 바라봤다. 이번에는 분명 흔들림 없는 눈빛이었다. "네가 뭘 알든, 인생을 바꿀 수는 없다."

"그건 내가 판단할 문제야." 사이먼은 단호하게 말했다.

라파엘은 한숨을 내쉬며 담배 연기를 천천히 내뱉었다. 그는 연기가 흩어지는 걸 바라보다가 천천히 입을 열었다. "좋아. 하나 묻자. 유대인과 화교의 특징이 뭔지 아나?"

사이먼은 의문스러운 표정을 지었다. "특징?"

라파엘은 다시 담배를 깊게 빨아들였다. 그가 연기를 내뿜으며 짧고 강하게 말했다. "디아스포라." 순간, 방 안의 공기가 무겁게 가라앉았다.

사이먼은 눈살을 찌푸렸다. "대규모로 흩어진 민족…"

라파엘은 고개를 끄덕였다. "그게 그들을 강하게 만들었고, 살아남게 했지. 어디서든 살아남을 수 있었어. 권력의 구조 안으로 들어가야만 했고, 근친을 통해 자기 세력을 철저히 유지했지. 심지어, 그 두 민족은 사업수완, 상업 및 금융 분야에도 탁월했지."

사이먼은 라파엘을 뚫어지도록 바라봤다. "당신은 도대체 누구지? 할아버지 일기와 비슷한 맥락이 있어. 그리고 당신은 정보가 많아."

라파엘은 대답하지 않았다. 대신 조용히 사이먼을 바라보다가 짧게 웃어 보였다. "그냥 유대인."

"유대인? 그게 끝이야?"

"응."

사이먼의 손끝이 떨렸다. "내 가족이… 누군가의 그림자에 암살당했어."

라파엘은 눈을 가늘게 떴다. 하지만 감정은 읽히지 않았다. "그리고?"

"그리고? 라니" 사이먼은 숨을 헐떡이며 이를 악물었다. "내가 할 수 있는 게 없다고 생각하나?"

라파엘은 아주 작은 미소를 지었다. 비웃음과도 같은 표정이었다. "그래. 할 수 있는 게 없어."

사이먼은 그를 노려보았다. "할 수 없다고 해도 해야겠어." 그의 목소리는 흔들리지 않았다. "어떤 대가를 치르더라도."

라파엘은 천천히 고개를 끄덕였다. "그럼 대가는 네가 감당해야겠지."

사이먼은 깊은숨을 들이마셨다. 그리고 주위를 둘러보았다. "그런데…" 그의 눈빛이 날카로워졌다. "도대체 여긴 어디지?"

그가 처음부터 갇혀 있던 이 방, 벽은 두껍고 차가웠다. 창문은 없었으며, 한쪽에는 무거워 보이는 철문이 보였다. 사이먼은 다시 라파엘을 바라보며 이를 악물었다. "날 포박해서 가둔 이곳. 여기가 대체 어디냐고!"

라파엘은 담담하게 그를 내려다보더니, 세면기에 놓인 면도칼을 들어 밧줄을 툭- 잘라냈다. 손목이 풀리자마자 사이먼은 몸을 일으켜 앞으로 숙였다. 묶여있던 자국이 선명하게 남은 손목이 욱신거렸는지, 사이먼은 쭈그려 앉은 라파엘의 어깨를 지렛대 삼아 일어나려 했다.

"천천히 일어나." 라파엘은 자신의 어깨에 올린 그 녀석의 팔을 가볍게 당기니, 사이먼은 비틀비틀하며 주춤주춤 일어섰다. 이따금 뿜어나오는 담배 연기가 두 남자의 얼굴을 가늘게 감쌀 때, "좋아, 이제 걸을 수 있겠어." 사이먼은 거친 숨을 몰아쉬며 라파엘을 똑바로 노려보았다. "대답해. 여기가 어디냐고!"

"그만 보채. 이제 곧 알게 될 거니까." 그리고 그는 천천히 철문으로 다가갔다. 그리고 한쪽 벽을 손바닥으로 가볍게 두드리니, 깊숙이 박힌 철제 문고리가 튕겨 나왔다. 힘껏 잡아당기며, 쿵—!

돌이 밀리는 거친 소리와 함께, 숨겨진 또 하나의 통로가 모습을 드러냈다. 사이먼은 그 문으로 나가기 전, 이 작은 방을 처음으로 제대로 둘러봤다. 포박되어 있을 때는 느끼지 못했으나, 이곳은 참으로 황량했다. 간이침대 하나, 낡은 철제 선반, 그리고 벽에 부착된 빗물을 저장하는 작은 탱크, 마지막으로 석조 세면대가 전부였으니. 심지어, 천장도 낮아서 답답했다. 이곳은 감옥인가. 아니, 감옥보다 더한 어딘가였다. 그는 방을 이리저리 훑으며, 라파엘이 열었던 철문을 넘어서자, 눈앞에 거대한 동굴이 펼쳐졌다.

'땅굴.'

끝이 보이지 않을 정도로 깊고 길었다. 바위벽에는 희미한 등불이 간간이 걸려 있었고, 물방울이 천장에서 뚝뚝 떨어지며 작은 웅덩이를 만들고 있었다. 벽을 따라 놓인 오래된 철제 레일이 과거에 이곳이 단순한 지하 터널이 아니라, 무언가 거대한 목적을 위해 만들어진 장소임을 알 수 있었다.

사이먼은 손끝으로 벽을 쓸어보며 물었다. "이 땅굴이… 바티칸까지 이어진다고?"

라파엘은 짧게 웃었다. "그래."

사이먼은 그를 바라보았다. "이걸, 네가 팠다는 거야?"

라파엘은 피식 웃으며 고개를 저었다. "그게 말이 되는 소리냐?" 그는 또 담배를 물더니 한숨을 내쉬었다. "생각보다 똑똑하지 않구먼그래"

사이먼의 이마가 씰룩거렸다. 라파엘은 입꼬리를 올리며 설명을 이었다. "난 여기 있는 방만 개조했을 뿐이야. 원래 이 땅굴은 존재했어. 네메시스와 프리메이슨 일부를 제외하면 아무도 몰랐던 곳이지."

라파엘은 벽을 손으로 짚으며 말했다. "이 터널이 얼마나 오래된 건지 정확한 기록은 없어. 하지만 여기, 이 도서관 지하에서 은밀하게 바티칸까지 이어지는 통로가 존재했지."

"도서관?"

라파엘은 고개를 끄덕였다. "그래. 네가 있었던 그 지하 도서관. 이곳은 원래 바티칸과 연결된 비밀 통로의 출입구였어. 오래전 프리메이슨과 일부 네메시스만이 그 존재를 알았지."

사이먼은 곰곰이 떠올렸다. 그가 처음 쓰러졌던 그곳. 수많은 고대 서적이 먼지 속에 잠들어 있던 그 공간. 어둠 속에서 희미한 촛불만이 벽면을 비추던 곳.

"기억나? 네가 쓰러졌던 자리." 라파엘이 무심히 말하니, 사이먼의 눈썹이 움찔 움직였다. "쓰러지던 곳의 오른쪽 부근. 그곳이 바로 이 땅굴로 이어지는 비밀의 출입구였어." 라파엘은 팔짱을 낀 채 벽에 기댔다. "비밀 통로를 아무나 드나들면 안 되니까. 그 구역을 지나가려면 마스크를 쓰거나, 아니면 소매로 눈, 코, 입을 완벽히 가려야 해."

사이먼이 뭐라 뭐라 중얼거리자, 라파엘이 피식 웃었다. "처음 만났을 때, 내가 한쪽 소매로 얼굴을 가리고 있었던 이유지. 그게 없었으면, 너처럼 바닥에 나뒹굴고 있었을 거다."

사이먼은 이제야 모든 것이 맞아떨어졌다. 그때, 라파엘의 얼굴이 희미하게 왜곡되어 보였던 이유. 자신만이 쓰러졌던 이유. "그래서 그 주변에 독을 풀었군…."

라파엘은 고개를 끄덕이며, 터널을 걷기 시작했다. "그러니까, 다음부터는 함부로 돌아다니지 마라. 죽고 싶지 않다면."

사이먼은 그를 따라 몇 발자국을 걷다가 멈췄다. "그런데 어떻게 이렇게 길게 이어진 거지?"

라파엘은 천천히 미소 지었다. "그게 신기한 부분이지."

이 통로는 좁고 구불구불한 터널이었지만, 몇 미터를 걸으면 갑자기 거대한 공간도 나타났다. 벽면에는 불을 밝혔던 흔적이 남아 있었고, 일부 벽에는 기묘한 부조들이 새겨져 있었다. 어떤 조각상은 사람의 형상을 하고 있었지만, 그 손은 땅을 향해 절박하게 뻗고 있었다. 마치 무언가를 간절히 구하는 듯한 모습. 그리고 더 소름 끼치는 것은, 그들의 얼굴이 모두 지워져 있다는 점이었다. 칼로 도려낸 듯한 흔적. 누군가 이들의 정체를 숨기려 했던 것일까?

몇 발자국을 더 걸어가자, "이건." 사이먼은 인상을 찌푸렸다. 고대 이집트 성문화와 구(舊) 가톨릭의 요소가 기괴하게 융합된 그림들이었다. 몇몇 벽화는 이집트의 신들, 오시리스와 이시스가 원형의 제단 위에서 뒤엉켜 있었다. 그들의 몸은 인간의 것이었지만, 얼굴은 신성한 동물의 형상을 하고 있었으며, 특히 이시스의 형상은 충격적이었다. 가슴이 부풀어 오르고, 치렁치렁한 천이 그녀의 하체를 감싸고 있었지만, 그 너머로 형체를 알아볼 수 있을 만큼 적나라하게 표현되어 있었다. 그리고 그 주변으로 사제들이 무릎을 꿇고 있었다. 그들의 손도 처음 봤던 조각상과 마찬가지로 하늘이 아닌 바닥을 향해 있었다. 마치 무언가를 받들고 있는 듯한 행동. 결국, 그들이 받드는 정체는 '여성의 몸을 한 어떤 존재'라는 점이었다.

"이 벽화들은 뭐지?" 사이먼이 손을 뻗어 만지자, 라파엘이 짧게 대꾸했다. "고대 상징이지. 일부는 네메시스, 일부는 프리메이슨, 그리고 일부는 우리가 모르는 자들의 흔적이야."

이번에는 바닥을 보았다. 미세한 레일 같은 홈이 파여 있었고, 일부는 물이 고여 있었다.

"과거에 이 통로를 이용하던 자들은 마차나 작은 열차 같은 걸 썼을지도 몰라." 라파엘이 말했다. "그리고 가장 흥미로운 건…"

라파엘은 벽을 두드렸다. 쿵, 쿵.

그러자 벽이 흔들렸고, 이내 좁은 균열이 나타났다. 이에, 사이먼

은 균열을 따라 손을 움직였다. 바람이 분다. ″어라?…″

라파엘은 짧게 웃으며 말했다. ″이 지하엔 우리가 모르는 또 다른 길이 있다는 증거지. 이곳은 단순한 땅굴이 아니야. 무언가 더 깊은 목적이 있었던 장소야.″

사이먼은 온몸이 오싹해지는 것을 느꼈다. 그런 사이먼을 보며, 라파엘은 그의 어깨를 툭툭 치며 말했다. ″그래서 묻는 거다. 네가 정말 이 길을 따라가고 싶은지.″

사이먼은 한 걸음 앞으로 나섰다. ″당신이 돕지 않겠다면, 혼자라도 간다.″

라파엘의 눈빛에는 ′말도 안 되는 소리 하지 마′라는 기색이 어른거렸음에도 사이먼의 눈은 아직도 흔들림이 없었다. ″내 뿌리를 찾아야 해!″

혈기만 왕성한 이 젊은이는 너무나 어렸다. 너무 무지했다. 그런 녀석을 끌어들이는 것은, 계획을 망칠 뿐이었다. 하지만, 이 망할 세상에 이 정도의 집념을 가진 놈이 몇이나 될까.라는 생각도 하는 라파엘의 얼굴이었다. ″좋아. 그러나, 네 생명에 지장이 생기더라도 도와주지는 않겠다.″

"교인들이 로마의 박해를 피해 숨어 살던 곳이었지." 라파엘은 땅굴을 걸으며 말했다.

사이먼은 피식 웃었다. "그 정도는 나도 알아. 고아원에서 교사들이 가르쳐줬거든. 디오클레티아누스 황제 때 박해가 가장 심했잖아. 기독교인들이 지하에서 예배를 드리다가 잡혀 죽었고, 박해가 심할수록 신도들은 더 단단해졌지."

라파엘이 고개를 끄덕였다. "맞아. 그런데 중요한 건 그다음이지. 박해가 끝난 후, 기독교가 어떻게 로마 제국을 집어삼켰는지 말이야."

"집어삼켰다는 표현은 옳지 않아. 어느 정도 다양성을 인정하고 포용하는 사례는 좋은 교훈이야."

"음…. 그래. 아무튼, 너 말대로 313년, 콘스탄티누스가 밀라노 칙령을 발포하면서 기독교가 공인됐지." 라파엘이 손가락으로 땅굴 벽을 더듬으며 말을 이었다. "그리고 불과 70년 뒤, 테오도시우스 황제가 기독교를 로마 제국의 공식 종교로 선언했어. 로마는 이제 기독교 국가가 된 거야."

사이먼도 벽을 따라 손을 뻗으며 천천히 걸었다. "하지만 로마 사람들은 원래부터 신들을 섬겼잖아. 주피터, 마르스, 바커스, 베누스... 그리고 이집트 신앙도 섞여 있었고. 단숨에 그 모든 걸 기독교로 바꾸기 쉽지 않았겠지."

라파엘이 씩 웃었다. "바로 그게 중요한 부분이지. 로마가 그렇게 순순히 바뀌었을 것 같아? 황제와 귀족들은 기독교를 이용하기 위해 적당히 신들을 뒤섞었어. 기존의 토착 신앙과 기독교를 합쳐 새로운 종교를 만들어낸 거야. 구(舊) 가톨릭이라고 불리는 체제가 그렇게 탄생했으니 말이야."

사이먼은 잠시 생각에 잠겼다. "예를 들면 성모마리아 숭배 같은 것도 원래 기독교에 없었지 않았나?"

"정확해." 라파엘이 손가락을 튕겼다. "원래 기독교는 예수를 중심으로 한 신앙이었지만, 로마는 기독교를 자기들 방식으로 바꿨어. 마리아 숭배는 이집트의 이시스 신앙에서 따온 거로 추정돼. 성인 숭배는 로마와 그리스의 영웅 숭배 문화에서 왔고, 심지어 교황이라는 개념도 황제 숭배에서 파생됐지."

사이먼은 눈살을 찌푸렸다. "결국, 그 당시, 기독교는 정치적으로 만들어진 도구였던 거네."

"그렇지. 그런데 진짜 흥미로운 건 여기서부터야." 라파엘이 잠시 멈춰 서며 사이먼을 바라보았다. "이 과정을 조종한 세력이 있어. 바로 프리메이슨의 전신이었지."

사이먼은 눈을 가늘게 떴다. "프리메이슨이 기독교를 만들었다는 거야?"

"아니. 그들은 이 새로운 기독교 체제를 적극적으로 이용했어." 라파엘이 벽을 짚었다. "생각해봐. 우리가 처음 만났을 때, 내가 프리메이슨은 원래 기원전 146년, 3차 포에니 전쟁에서 카르타고를 멸망시킨 로마인들 사이에서 태어났다고 말했잖아. 이후, 로마가 성장하는 동안 그들은 권력을 유지하기 위해 황제들을 꼭두각시로 삼았지. 하지만 기독교가 로마를 삼키면서 새로운 시스템이 필요해졌어."

사이먼은 그의 말을 곱씹었다. "그래서…. 프리메이슨은 황제뿐만 아니라 교황도 꼭두각시로 만들었다?"

"정확해. 그들은 기독교를 완전히 무시할 수 없었어. 그래서 교황이라는 존재를 만들어 종교를 관리하고, 동시에 황제와 함께 통제했지. 교황이 성스러운 권위를 갖고 있으면, 백성들은 더욱 쉽게 통제되니까."

사이먼은 한숨을 쉬었다. "기독교를 허락하면서 프리메이슨이 얻은 이점은 뭐야?"

라파엘이 미소를 지었다. "첫째, 종교를 이용해 대중을 효과적으로 다룰 수 있었어. 백성들은 신의 뜻을 따르는 교황을 숭배하며, 정치적인 저항을 하지 않았지. 둘째, 교회를 통해 경제적 이득을 챙겼어. 교회는 막대한 토지와 재산을 소유했고, 십일조와 면죄부로 막대한 부를 축적했지. 셋째, 신앙을 무기로 전쟁을 일으킬 수 있었어. 기독교를 위해 싸운다며 십자군 전쟁을 벌였고, 그 과정에서 엄청난 자원을 확보했지."

사이먼은 고개를 끄덕였다. "그러니까, 프리메이슨은 종교를 믿지는 않았지만, 대중을 조종하기 위해 기독교를 이용한 거네."

"그래. 그리고 그들은 기독교를 단순히 이용하는 것에서 끝나지 않았어. 시간이 지나면서 종교 내부로 들어가, 자신들의 시스템마저 곳곳에 심어 넣었지."

사이먼은 벽에 새겨진 낡은 문양을 손가락으로 훑었다. "그리고 그 시스템이 오늘날 네메시스로 이어진 거군."

라파엘이 천천히 고개를 끄덕였다. "네메시스는 단순한 비밀 조직이 아니야. 그들은 과거 프리메이슨이 다루던 꼭두각시 시스템을 현대적으로 재해석한 존재야. 그리고 그 과정에서 기독교뿐만 아니라, 자신들만의 종교적 요소까지 가미했지. 세례명이라는 개념이 처음 도입된 것도 그때였어."

사이먼은 깊은숨을 들이쉬었다. "결국, 우리의 상대는 비밀결사대뿐만이 아니군. 과거 로마 제국부터 이어져 내려온 지배 구조 자체야."

라파엘은 조용히 웃으며 길을 따라 걸어갔다. "우린 그 중심으로 가고 있어."

땅굴은 계속 깊어지고 있었다. 그들이 향하는 곳에는 과거 로마에서 시작된, 그리고 오늘날까지 이어지는 '보이지 않는 손'이 기다리고 있었다.

갑자기, 어디선가 땅굴 안으로 바람이 확 불어왔다. 땅속의 축축하고 눅눅한 공기가 한순간에 뒤집혔고, 눈앞엔 두 개의 길. 하나는 어둠 속으로 길게 이어지는 통로, 또 하나는 돌무덤이 쌓여 형성된 사면.

사이먼과 라파엘은 주저 없이 돌무덤을 밟으며, 위쪽을 향해 기어올랐다. 그 둘의 손끝에 거친 돌의 감촉이 느껴졌고, 그들은 힘겹게 위로 나아갔다. 마침내, 위장된 돌무더기 끝, 금속판 같은 것이 라파엘의 손에 닿았다. 낡았지만 묵직한 그것.

그가 조심스레 힘을 주자, 뚜껑이 천천히 밀려 올라갔다. 빛이 쏟아지며, 광대한 공간이 눈앞에 펼쳐졌으나, 그들은 순간적으로 뚜껑을 거의 다시 닫은 채, 몸을 숙일 수밖에 없었다. 그 광장은 거대한 그림자가 쏟아지고 있었으니.

한 치의 오차도 없이 질서 있게, 분위기는 엄숙하고 무겁게, 거대한 파도처럼 행렬이 흘러가고 있었다. 앞줄에선 숫염소들이 걸어가고 있었는데, 검은 피가 흐르는 듯한 짙은 털, 단단하게 비틀린 뿔, 붉게 이글거리는 눈을 가진 666마리의 가축들이 완벽히 발걸음을 맞추어 행진하고 있었다. 그 발굽이 땅을 두드릴 때마다 둔탁한 소리가 이곳으로 울려 퍼졌다. 텅, 텅, 텅. 지진이 나는 것만 같았다. 그 뒤로, 666명의 종교인이 뒤따랐다. 붉은 망토를 두른 사제들, 검은 가면을 쓴 성직자들, 이마에 금빛 상징을 그린 수도자들. 그들의 얼굴은 철저히 가려져 있었다. 그리고, 마차. 666개의 검은 마차가 길게 늘어섰으며, 각각의 마차에는 바퀴마다 붉은 문양과 함께, 위로는 검은 장막이 처져 있었다. 쉽사리 보이지 않았다.

때로는 낮게 울리는 성가가 새어 나왔으나, 뒤집힌 음률. 기이하고 불길한 주술처럼, 그 음성이 허공을 타며, 뚜껑 아래의 땅굴까지 울리고 있었다. 드디어, 맨 앞. 가장 화려한 마차가 우리 뚜껑 위로 천천히 다가왔다. 라파엘은 뚜껑의 틈새를 거의 메웠고, 사이먼은 그 작은 틈새라도 그들의 행진을 지켜보려고 노력했다. 첫 번째 마차는 검은 황금으로 장식된 바퀴, 피처럼 진한 선홍색의 커튼이 바람에 흔들렸으며, 커튼 사이로 실루엣이 희미하게 보였다.

'교황이었다.'

어떻게 보면, 검은 옷 같기도 하고, 자세히 보면 하얀 옷을 입은 것도 했지만, 그 얼굴에는 빛이 없었다. 뚜렷한 이목구비마저 이질적으로 어긋나 보였으니. 그리고 마차 꼭대기엔 거꾸로 된 십자가가 새겨져 있었다. 갑자기, 그가 손을 들었다.

바로 그 순간. 666마리 염소가 일제히 무릎을 꿇었고, 666명의 성직자가 동시에 허리를 숙였다. 666개의 마차에서 내부의 존재들이 고개를 쑥 내밀었다. 그들은 사람인가? 아니면…

이내, 교황은 미소를 지었다. 그 미소는, 마치 오래된 성화 속에서 누군가 일부러 찢어놓은 얼굴 같았다.

사이먼과 라파엘은 서둘러 몸을 숙이며, 그 맨홀 같은 출구를 다시 닫아놓았다.

"네메시스는 존재한다."

사이먼과 라파엘은 힘을 모아, 천천히 뚜껑을 완전히 닫았다. 둔탁한 돌이 제자리를 찾아가면서 '쿵' 하고 낮게 울렸다. 두 사람은 어둠 속에서 숨을 죽였다. 위에서는 여전히 군중들의 함성이 들렸고, 거대한 퍼레이드가 지나가고 있었다. 숫염소들의 울음소리, 마차 바퀴가 바닥을 긁는 쇳소리, 그리고 신도들의 노랫소리가 묘하게 뒤섞여 있었다. 그리고 라파엘이 먼저 입을 열었다. "봤지? 바티칸을 지배하는 절대 권력."

사이먼은 아직도 눈앞에 떠오르는 광경을 곱씹었다. 맨 앞 마차에서 어둠의 물결처럼 흩날리는 붉은 망토.

"재밌지 않아?" 라파엘이 낮게 속삭였다. "저분이 하나님의 대리인이라잖아. 근데 네 눈에도 보였을 거야. 그의 행렬이 누구를 위한 건지. 그리고 저 마차, 염소, 성직자의 수는 모두 666이라고!"

사이먼은 천천히 고개를 끄덕였다. "직접 세어보진 못했지만, 너는 정보를 이미 다 알고 있구나…"

라파엘은 비웃듯 코웃음을 쳤다. "맞아. 바티칸은 1929년에 독립하면서 완전히 '그들'의 것이 됐어. 무솔리니와의 협정을 통해 바티칸은 하나의 독립국이 됐고, 그때부터 본격적으로 네메시스의 손아귀로 들어갔지."

"아까 걸으며 말했지만, 애초에 구 가톨릭 자체가… 로마의 이교와 뒤섞인 거잖아?"

라파엘이 그의 눈을 빤히 바라보았다. "네가 이미 배웠다고 말했잖아, 사이먼. 그리스-로마의 반신(半神) 개념과 다를 게 없어. 본래 기독교와는 다른, 로마적인 기독교가 만들어진 거지."

사이먼은 숨을 내쉬었다. "그래서 네메시스가 장악하고 권력의 수단으로 활용하는 거군."

라파엘이 씁쓸하게 웃었다. "아마도 실상은 루시퍼를 숭배하는 집단이 아닐까? 행렬을 보면 알겠지만, 그 외에도 성경에서 말하는 것과 정반대의 상징이 넘쳐나지. 황소, 태양신, 바알, 독사…"

사이먼은 천천히 손을 오므렸다. "결국, 지금 교황도 꼭두각시라는 거네."

라파엘이 입꼬리를 올렸다. "정치와 종교, 두 축을 모두 장악하면 대중은 저절로 무릎을 꿇거든."

"그렇다면, 그들의 입술은 기도를 외우는 듯했지만, 정작 그들이 속삭이던 건… 하느님과 예수님은 아니었겠지?" 그는 다시 손을 움켜쥐었다. "그럼, 이제 어떻게 해야 하지?"

라파엘이 어둠 속에서 미소를 지었다. "너도 알잖아, 사이먼. 진실을 알았으면, 이제 행동해야지." 그리고 그는 과거를 떠올리는 듯 천천히 눈을 감았다가 떴다. 그리고 낮게 중얼거렸다.

"내 세례명은… 카시엘(Cassiel)."

사이먼이 흠칫했다. 낯선 이름이었다. 하지만 어딘가 익숙한 느낌도 들었다. 그는 속으로 되뇌었다. 카시엘.

"천사 이름인가?"

라파엘이 쓴웃음을 지었다. "그래. 하지만 의미는… 좀 다르지."

"무슨 뜻인데?"

라파엘은 교황 행렬을 다시 바라보며, 피식 웃었다. "나중에 말해줄게."

사이먼은 조용히 라파엘의 얼굴을 살폈다. 평소처럼 능글맞은 태도도 아니고, 가벼운 농담도 섞이지 않았다. 그리고 갑자기 머릿속에서 전 여자친구가 떠올랐다. “캐서린의 세례명은 뭐였더라?” 기억이 떠오르지 않아, 답답한 표정을 지으며 다시 입을 열었다. ″그나저나 라파엘, 네가 누군지 더 많이 알고 싶어.″

하지만 라파엘은 고개를 저었다. “그 질문엔 대답할 수 없어, 더 기다려.”

사이먼은 눈살을 찌푸렸다. ″도대체 왜?″

″대답하는 순간, 넌 그걸 알게 되는 거고, 알게 되는 순간… 되돌릴 수 없어. 그리고 너를 돕지 않을 거야.″

사이먼은 천천히 말했다. “그래. 아무튼, 아까 행진을 보니까 십자군 전쟁도 떠오르네.”

라파엘이 비웃듯 웃었다. “그렇겠지. 종교라는 이름 아래 무고한 피를 가장 많이 흘린 전쟁.”

사이먼은 조용히 되뇌었다. “유대교, 기독교, 이슬람교… 결국 뿌리는 같은데.”

“아브라함이 낳은 세 아들. 유대교는 여전히 메시아를 기다리고, 기독교는 그를 이미 왔다고 믿고, 이슬람교는 또 다른 예언자를 따른다. 그런데, 웃긴 건 말이야. 세 종교가 모두 같은 신을 믿는다고 하면서도, 가장 잔혹하게 서로를 죽였다는 거야. 그리고 시간이 흘러서… 16세기엔 개신교와 가톨릭이 서로 싸웠지.”

라파엘이 천천히 고개를 끄덕였다. “종교개혁. ‘왜 인간이 신의 대리인이 되어야 하지?’ ‘왜 성경을 읽을 권리가 우리 일반인에게는 없지?' 마틴 루터가 그걸 문제 삼았지. 그래서 개신교는 오직 성경과 믿음만을 강조했으니까."

라파엘은 조용히 중얼거렸다. "여전히, 신을 믿는 사람들이… 신을 위해 가장 많이 죽이지. 그러고 보니 흑사병 때도 교황청은 별다른 대처가 없었지?"

라파엘이 코웃음을 쳤다. "대처? 무슨 조치? 그들은 그걸 '신의 심판'이라고 불렀어. 그리고 더 웃긴 건 뭔지 알아? 당시 사람들은 교황이 신과 직접 소통할 수 있다고 믿었어. 그래서 흑사병이 창궐했을 때, 교황이 손 하나 까딱하면 해결될 줄 알았지. 근데? 교황도 아무것도 못 했어. 아무리 성수를 뿌리고, 미사를 올리고, 기도해도… 죽어 나가는 건 똑같았거든."

사이먼은 조용히 되뇌었다. "결국, 신이 아니라, 권력이 문제였던 거네."

라파엘이 고개를 끄덕였다. "맞아. 그리고 그 권력의 정점에 가까운 사람… 지금도 저기, 저 황금 수레 안에 앉아 있지. 지금쯤이면 행진이 마무리 단계가 아닐까? 다시 열어보자."

그 둘은 뚜껑을 있는 힘껏 젖혔고, 그들의 행진은 꽤 멀어지고 있었다. 저 멀리 보이는 바티칸의 거리, 사이먼은 마차 위에서 태양 아래 번뜩이는 황금 성배를 보며 한숨을 내쉬었다. 그의 옆에서 라파엘은 비쭉 입꼬리를 올리며 말했다. "다시 봐도 참으로 장엄한 광경이지 않나? 마치 중세시대로 돌아간 기분이야. 생각해보면, 지금 네메시스의 전신인 프리메이슨도 1776년, 신대륙까지 영향력 확장을 시작했지."

사이먼은 1달러 지폐를 떠올렸다. 그 뒷면에 적힌 문구, 'IN GOD WE TRUST' 그래서 미국의 신(GOD)은 프리메이슨이 유도한 신이란 말인가?"

라파엘은 피식 웃었다. "종교개혁 이후, 북유럽은 개신교, 남유럽은 천주교." 사이먼이 입을 열었다. "이 구도가 교황의 타락에 대항하는 신념 때문만이라고 생각해? 따라서, 종교개혁도 마찬가지지만 영국으로부터 미국의 독립도 프리메이슨이 주도했지. 청교도들이 영국에서 이주했고, 그걸 빌미로 기득권층도 신대륙으로 확장했어. 당연히 프리메이슨은 미국지부를 세울 기회와 함께, 이 대륙도 조절할 수 있는 위치를 선점했고."

사이먼은 씁쓸하게 웃었다. "그렇다면, 일부 음모론자들이 주장하는 일루미나티는 뭔데?"

"일루미나티도 프리메이슨이야. 그곳은 산하의 행동조직이었지. 원래는 '빛을 가져오는 자들'이라는 뜻이었지만, 실상은 전혀 다르게 흘러갔어. 조직적으로 정부를 뒤흔들고, 혁명을 일으키고, 대중을 조종하는 것. 그리고 돈을 통해서 권력을 더 확장하는 것."

사이먼은 또다시 지폐를 떠올렸다. "1달러 뒤에 피라미드와 전시안이 있다는 건… 그들이 미국을 세웠다는 증거도 헛소리가 아니야?"

라파엘이 고개를 끄덕였다. "정말 단순한 우연이라고 생각해? 그들의 상징이 왜 가장 강력한 화폐에 새겨져 있는 걸까?"

사이먼은 문득 떠올랐다. 연예인들, 영화, 뮤직비디오 속에서 이상하게 반복되는 상징들. - 염소 뿔을 본뜬 손짓, 한쪽 눈을 가리는 자세, 피라미드와 눈동자가 새겨진 무대. "그래서 사람들은 그들을 사탄숭배자라고 하는 거군."

라파엘은 조용히 웃으며 대답했다. "사탄을 숭배한다고? 하긴, 네메시스는 그런 경향이 있으니까. 알지도 못했던 연예인들이나 유튜버들이 갑자기 확 떠오르는 일은 수상하긴 하지. 그러나, 네메시스 전신인 프리메이슨은 악마를 떠받지는 않았어. 확실한 건, 전쟁을 일으키거나, 선을 가장하여 각종 혁명으로 대중들의 가슴을 불태웠지. 때로는 개혁과 국제적 질서를 통해 권력을 쟁취했고. 만약 사탄이 그런 걸 좋아한다면, 그것도 숭배라고도 볼 수는 있겠지만?"

사이먼은 멀어져가는 교황의 행렬을 다시 바라보았다. 그리고 지그시 깨물던 입술을 열며, "혹시, 미국의 남북전쟁도…?"

"응. 1861년부터 1865년까지. 4년간의 전쟁이었지. 노예제도가 겉으로 내세운 명분이었지만, 내부에서 개신교가 갈라졌고, 그 혼란을 주도한 일루미나티가 다시 한번 움직인 거야." 라파엘은 조용히 웃었다. 마치, 아무것도 변하지 않는다는 것을 이미 알고 있다는 듯한 웃음이었다.

교황의 행렬이 광장의 끝으로 다다랐고, 이내 완전히 사라졌다. 저 멀리, 신도들이 서서히 흩어지고, 열광적으로 환호하며, 교황에 손을 뻗고, 기도를 올리며, 신의 축복을 갈망하던 군중들마저 종적을 감추기 시작했다. 그 순간, 라파엘이 낮게 읊조렸다. "시장에서 문안받는 것과 사람에게 랍비라 칭함을 받는 것을 좋아하느니라. 그러나, 너희는 랍비라 칭함을 받지 말라. 너희 선생은 하나요. 너희는 다 형제니라."

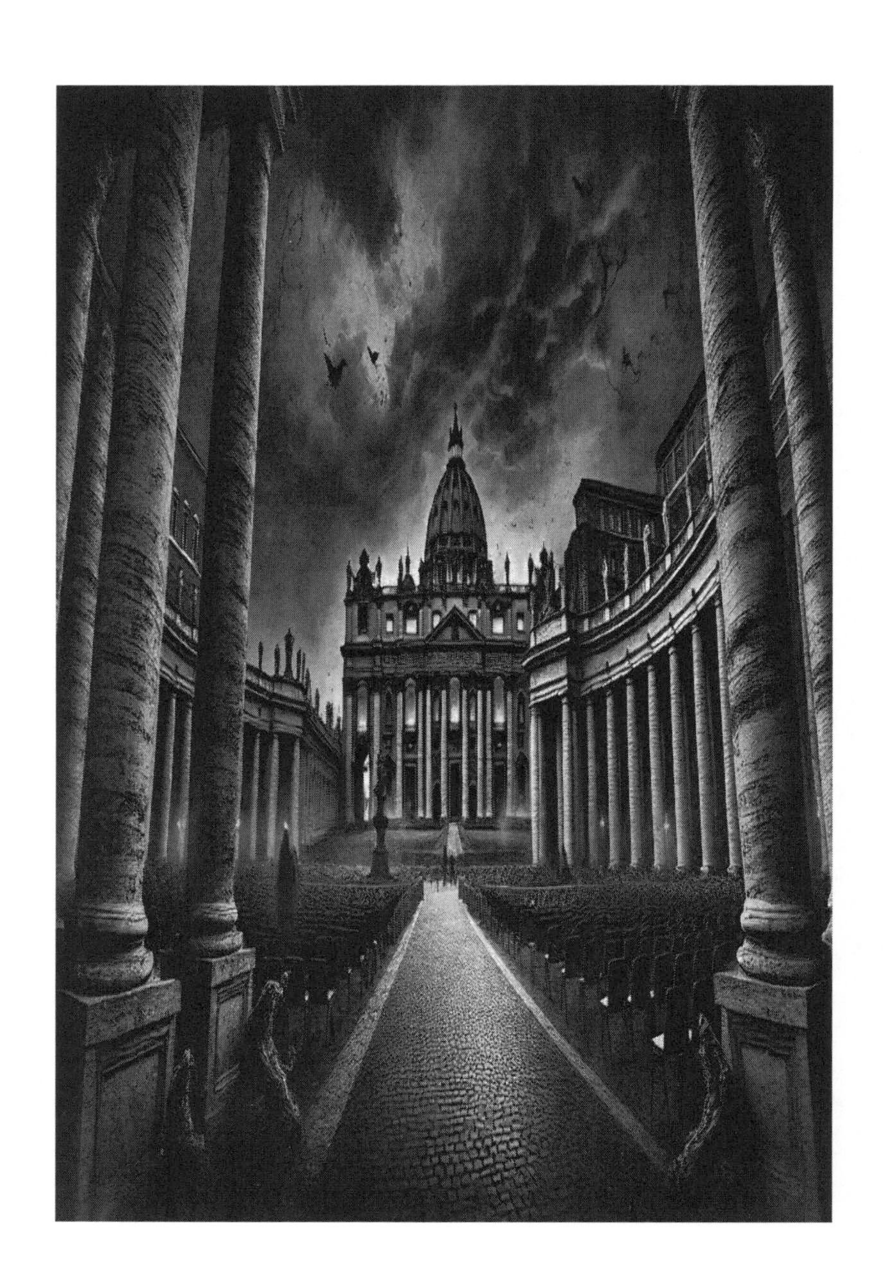

제3부 비밀결사대의 흔적

제1장 네메시스, 영혼의 계약

돌무덤에서 내려온 그들은 바닥에 낮게 깔린 안개를 뚫고 걸었다. 땅굴은 끝이 보이지 않을 만큼 길었고, 축축한 돌벽에서는 희미한 곰팡내가 피어올랐다. 이따금 벽 틈마다 배어 나온 물방울이 천천히 흘러내려, 발밑에서 질척이는 소리가 작게 울렸다.

"광장에서 몇 개의 건물을 봤어?"

사이먼은 고개를 저었다. "행진을 따라가느라 신경 쓰지 못했어."

라파엘은 한 손으로 허공을 가리켰다. "그곳엔 세 개의 건물이 있어. 성 베드로 대성당, 교황청, 그리고 사도 궁전. 너도 잘 알겠지만, 우리가 가는 곳은 그중에서도 가장 신성한 장소지."

사이먼은 조용히 숨을 들이쉬었고, 라파엘이 계속 말을 이었다. "20억 명의 천주교인이 떠받드는 곳. 개신교가 아닌 로마 가톨릭의 성지. 그곳이 바로 우리가 향하는 곳이야."

"대성당? 아니면, 궁전을 말하는 건가?"

"응. 사도 궁전."

땅굴은 점점 더 좁아졌다. 어깨가 벽에 닿을 정도였고, 벽 틈마다 듬성듬성 박혀 있는 횃불이 희미한 주황빛을 드리웠다. "근데, 횃불,

누가 관리하는 거지? 이렇게 깊은 곳에서, 계속 불이 살아있는 게 이상한데?"

라파엘이 히죽 웃었다. "좋은 질문이야." 그는 벽에 가까이 다가가 손가락으로 횃불 아래쪽을 톡톡 두드렸다. "이건 보통의 횃불이 아니야. 안쪽에 작은 유리관이 숨겨져 있어. 그 안에는 기름 대신 특수 가스가 들어가지. 이 땅굴을 따라 연결된 배관이 일정한 간격으로 가스를 공급하고, 자동 점화 장치가 일정한 온도를 유지하면서 불꽃을 살려두는 거야."

사이먼이 고개를 갸웃했다. "그러면, 누가 그걸 관리하지?"

라파엘이 한쪽 입꼬리를 올리며 중얼거렸다. "그걸 관리하는 자들은 이곳을 걸었던 자들이지. 지금은 모르겠네. 네메시스일까? 하지만, 그들은 이곳을 10년 동안 오지 않았거든."

"그 당시에도 이런 기술이 있었다니! 믿기지 않는다. 그들은 정말 주요권력의 핵심으로써 모든 기술까지 선진화시켰군."

그들이 계속 걸어가는 동안, 벽 너머에서 들려오는 희미한 물소리가 울렸다. 어디선가 아주 낮은 목소리로 누군가 기도하는 듯한 소리가 바람처럼 흘러왔다. 라파엘이 손가락을 입술에 가져갔다. "조용히 해."

사이먼은 발걸음을 멈추었다. 드디어, 그들 앞에 거대한 문이 서 있었다.

땅굴의 끝자락, 그들을 막아선 문의 높이는 족히 4m는 넘어 보였고, 땅굴의 양쪽 벽을 가득 채울 만큼 넓었다. 그 문은 깊고 어두운 빛을 띠고 있었는데, 마치 밤하늘에서도 빛을 흡수할 것처럼 어둠 속에서 검게 빛났다. 표면은 반들반들한 듯 보이면서도 깊이를 알 수 없는 심연 같았다. 사이먼은 천천히 손을 뻗어 보았으나, 얼음장처럼 차가운 기운이 손끝을 타고 전해지는 바람에, 순간 거둘 수밖에 없었다. "이 문…. 그저 그런 석재가 아니야."

라파엘이 고개를 끄덕였다. "오벨리스크 흑석(Obsidian Black Stone)으로 만들어졌지. 자연적으로 형성된 것이 아니라, 특별한 방법으로 정제된 거야."

사이먼은 거대한 문을 따라 옆으로 천천히 움직이며, 그 위에 새겨진 무언가를 발견했다. 하지만 그것은 마치 안개 속에 가려진 듯, 흐릿해서 읽기 어려웠다.

라파엘이 그 곁으로 다가가 중얼거렸다. "Veritas vos liberabit."

그 아래 또 다른 문장이 새겨져 있었지만, 일부는 마모되어 있었다.

"Lux in tenebris lucet, et tenebrae eam non comprehenderunt."

(어둠 속에서도 빛은 빛나지만, 어둠은 그것을 이해하지 못하리라.)

"네메시스가 자유를 원한 적이 있었을까?" 사이먼이 낮은 목소리로 말했다. "아니면, 이건 위선적인 경구일까?"

라파엘이 씁쓸하게 웃으며, 천천히 손을 들어 문을 가볍게 두드렸다. "이상하네." 벽에 걸린 횃불을 꺼내, 문 위로 비추었다. "고대 서적에 따르면, 프리메이슨 문은 특정 각도로 비추면 열려야 해."

횃불을 조심스럽게 기울이며 다양한 방향으로 빛을 쏘았다. 그러나 문은 전혀 반응하지 않았다. "어디 보자…," 그는 다시, 책에서 본 내용을 떠올리듯 작게 읊조렸다. "이 각도가 아닌 걸까?" 문은 차갑고 단단한 흑요석 덩어리일 뿐, 꿈쩍도 하지 않았다. "젠장, 뭐가 문제야?" 라파엘은 갑자기 손을 문 표면에 짚고 깊게 밀어봤다.
"딸깍-"
그 순간, 문이 흔들리며, "뭐야, 움직였어?" 사이먼이 얼른 옆으로 몸을 움직였다. 그다음 순간, "라파엘, 비켜!"
갑자기 바닥이 푹 꺼지면서, 사이먼은 밑으로 떨어진 그의 팔을 간신히 붙잡았다. 그가 있던 자리가 무너져내리며 바닥 아래에서 날카로운 창들이 솟구쳐 오른 것이었다. '쾅!' 그 밑의 창날은 서로 부딪히며 불꽃이 튀었고, 라파엘은 사이먼의 손을 잡고 지상으로 올라와서는, 뒤로 나뒹굴며 욕설을 내뱉었다. "제기랄… 죽을 뻔했네."
"아니, 대체 이곳의 정보를 안다고 했던 사람은 누구였더라?"
라파엘은 사이먼을 노려보며 일어났고 아래로 푹 꺼진 바닥은 원상태로 돌아왔다. 머리카락이 어지럽게 흩어졌고, 옷에는 흙이 묻은 채, "내가 바티칸의 모든 걸 꿰뚫고 있는 건 아니야."
"뭐?" 사이먼은 기막혀하며, 핸드폰 불빛을 문에 비췄다. "그럼 여기는 처음 와본 거였다고?"
"그래." 먼지를 훌훌 털어내며, "이 땅굴 자체는 알고 있었지만, 여기까지 깊숙이 온 건 처음이야. 이렇게 거대한 문도 책에서만 봤다고—." 라파엘은 함께 걸어온 땅굴을 돌아보았다. "이곳은 원래 프리메이슨이 교황을 하수인으로 조종하기 위해, 만든 접선 장소였어. 하지만 네메시스가 프리메이슨을 제거하기 시작하면서, 일부 프리메이슨들이 이곳으로 피신했다가 발각됐지. 그리고— 다 죽었을 가능성이 커."

사이먼도 천천히 등을 돌려 지나온 길을 바라보았다. 그리고 순간, 떠오르는 돌무덤들. "설마…" 사이먼이 목소리를 낮췄다. "아까, 우리가 올라간 돌무덤 사면…."

"…그래. 네 조상이 묻혀 있는 곳일 수도 있어."

사이먼은 심장이 요동치는 걸 느꼈고, 반사적으로 주머니를 뒤적거렸다. 그리고— 한때, 손끝에서 느껴졌던 낡은 종이의 감촉.

"할아버지의 일기."

퇴근 후, 침대에서 읽었던 일기의 한 구절이 떠올랐다. "할아버지가… 여기 왔었어."

"뭐?"

그들의 시선이 천천히 흑요석으로 만들어진 거대한 문을 다시 향했다.

"할아버지도 너처럼, 빛을 사용했어…."

사이먼은 일기의 내용에 따라, 라파엘이 비췄던 각도와 다르게, 흑요석 문에 빛을 쏘았다. 그리고 순간, 희미한 삼각형과 올시잉아이 문양이 떠오르며, 금가루가 반짝였다.

"Fiat Lux." (빛이 있으라)

그리고, 사이먼은 할아버지가 했듯이 문양의 중심에 정확히 빛을 맞췄다. 그러나— 이번에도 아무 일이 일어나지 않았다.

"...뭐야?"

그는 다시 한번 시도했다. 빛을 비추고, 정확한 각도로 맞춰 보았지만, 문은 미동조차 없었다.

그때였다.

어딘가에서 희미한 속삭임이 들려왔다. "진실은 죽었다. 이제 어둠이 인도할 것이다."

1918. 12. 30.

벽에는 오래된 문이 있었다. 흑요석으로 만들어진, 검은 빛을 머금은 문.
문에 손을 대보았지만, 그것은 마치 돌무덤처럼 차가웠다.
내 손에는 금가루가 살짝 묻어 나왔고, 가까이서 숨을 내쉴 때마다 삼각형과 직각자가 드러났다.

"빛을 비추면 길이 열린다."

이 문은 원래 우리 결사대가 만든 것이었다.
나는 주머니에서 작은 손전등을 꺼내 문에 비췄다. 그러자 숨겨졌던 글자가 천천히 떠올랐다.

"Veritas vos liberabit."
(진실이 너희를 자유케 하리라.)

이제, 빛을 맞춰야 한다. 나는 빛을 삼각형 문양의 중심에 정확히 조준했다.
그러자 문에 붙은 금가루가 살아 움직이듯 반짝였다.
그리고 기계 장치가 안에서 풀리는 듯한 '철컥' 소리와 함께 문은 천천히 밀으로 밀려났다.

그러나——.
들어간 방의 한가운데, 돌 제단 위에는 검은 망토를 걸친 자들이 서 있었다.

"빛은 오래전에 사라졌다."

그는 일기장을 다시 떠올렸고, 핸드폰 불빛을 꺼버렸다. "라파엘. 횃불을 꺼."

라파엘은 주춤하며, 손에 든 횃불을 쥔 채 망설였다. "뭐라고? 여기는 이 불까지 끄면 완전 캄캄한데—"

"끄라고."

라파엘은 바싹 말라가는 입맛을 다신 뒤, 침을 삼키고 횃불 손잡이를 감쌌다. 그리고— 훅.

첫 번째 불꽃이 사그라들었다. 그 순간, 통로의 그림자가 더 깊어졌다. 벽과 천장이 하나로 뒤엉켜, 땅굴이 살아 숨 쉬는 거대한 입구처럼 보였다. 그는 떨리는 손으로 벽에 있는 두 번째 횃불을 잡았다. 훅.

또 하나의 불꽃이 사라졌다. 빛이 사라질수록, 어둠은 밀려오고, 그 어둠 속에서 무언가 깨어나는 듯했다. 라파엘은 마지막 횃불 앞에서 잠시 멈추며, 흔들리는 불빛 앞에서 마지막으로 따뜻한 온기를 느꼈다. 훅. 모든 불꽃이 꺼졌다. 공기마저 무겁게 가라앉으며, 라파엘은 본능적으로 손을 앞으로 뻗었다. 하지만 아무것도 잡히지 않았다. 눈을 떴는지 감았는지조차 알 수 없는 암흑.

그때, 철컥— 기계가 움직이는 소리. 그리고 검붉은 십자가 문양이, 흑요석 문 위로 모습을 드러냈다.

"방금까지 없던 문양이…" 라파엘이 조용히 중얼거렸다.

"뭔가를 요구하고 있어."

라파엘이 고개를 갸웃하며 물었다. "뭘 요구한다는 거지?"

사이먼은 입술을 핥으며 천천히 말했다. "네메시스가 이곳을 프리메이슨으로부터 점령했다면, 그들이 가장 추구하는 단어를 떠올려야 해."

라파엘이 한숨을 쉬며 머리를 굴렸다. "그들이 추구하는 단어라… 권력? 질서?"

사이먼은 조용히 고개를 저었다.

"영원, 복종, 충성…" 라파엘이 계속 단어들을 읊었다. 하지만 문은 미동도 하지 않았다. 그리고 마침내, 그 단어가 튀어나왔다.

"희생?"

사이먼의 눈빛이 번뜩였다. "맞다, 희생이다. 문을 열려면, 제물이 필요하다! 혹시… 내 밧줄을 풀 때 사용했던 면도칼, 아직도 가지고 있나?"

라파엘은 허리춤과 주머니를 더듬었다. "있지." 낡은 은색 면도칼을 꺼내며, "무슨 뜻인지 알겠군." 그는 망설임 없이 소매를 걷었다. 창백한 피부 위로 푸른 혈관이 드러났다. 면도칼의 날이 서늘하게 빛났고– '쓱.' 피부를 가르며 붉은 선이 그어지더니, 이내 핏방울이 서서히 맺혔다. 라파엘은 흘러내리는 피를 손가락으로 찍어, 검붉은 십자가 문양 위에 문질렀다. 그러나. 아무 일도 일어나지 않았다. "망할… 왜 반응이 없는 거지?"

사이먼은 눈살을 찌푸렸다. 그리고 문을 바라보며 조용히 말했다.

"혹시… 나여야 하는 건 아닐까?"

라파엘이 의아한 표정으로 그를 바라보았다.

"나는 프리메이슨의 후손이야. 네메시스가 이곳을 점령했을 때, 선조들이 피를 흘렸겠지. 문이 원하는 희생은 단순한 피가 아니라, 그 때 희생된 자들…." 그는 면도칼을 건네받았고, 라파엘은 뒤로 물러서며 지켜보았다.

사이먼은 소매를 걷어 올렸고 창백한 피부 위, 군데군데 오래된 상처들이 희미하게 남아 있었다. 날카로운 쇠가 살을 가르는 감각. 붉은 피가 서서히 흘러내렸다. 붉은 액체를 문 중앙의 십자가 홈에 떨어뜨렸다.

'틱…'

문이 낮게 떨렸더니, 흑요석 문이 검붉은 빛을 머금기 시작했다. "됐어…" 라파엘이 낮게 중얼거렸다.

단단한 흑요석은 생물처럼 미세하게 꿈틀거리더니, 표면의 검붉은 십자가 문양이 태양처럼 환한 빛으로 타올랐다. 이내 맹렬한 불꽃이 문 위를 휘감으며, 흑요석이 속부터 허물어지기 직전이었다. 지리이익… 사르르… 단단했던 검은 돌이 가루처럼 풀어지며 바닥으로 흘러내렸다. 무너지는 것도, 녹아내리는 것도 아니라, 오랜 세월이 지나 스스로 풍화되는 것처럼 부드러웠다. 한 조각, 또 한 조각.

라파엘이 나직이 중얼거렸다. "…이건 마치, 문이 존재한 적도 없던 것처럼 사라졌군."

사이먼은 눈앞의 검은 공허를 바라보며 숨을 삼켰다. 그리고 반대편 저 멀리에서 스멀스멀 퍼져 나오는 공기. 차갑고도 축축한 바람이 불어왔다.

그들은 천천히 앞으로 발을 내디뎠다. 드디어 찾은 금기의 성소, 네메시스가 지배하는 땅으로.

"움직이지 마!"

콰르릉—!

이번에도 땅이 꺼지면서 두 사람은 아래로 떨어졌다. 폐에 들이마신 공기가 차갑고 습했다. 사이먼의 발끝이 돌벽을 스쳤고, 한 손으로는 겨우 벽을 붙잡으며 충격을 받아냈다. "크읏…!" 마찬가지로, 라파엘도 가까스로 중심을 잡고 벽을 붙잡았다. 밑을 내려다보면,

바닥은 생각보다 깊지 않았다. 약 2~3m 아래로 좁은 회랑이 뻗어 있었다. 라파엘이 먼저 올라가서, 먼지를 털며 말했다. "이게 네메시스의 방식인가 보군." 사이먼도 마저, 라파엘의 손을 붙잡으며 올라오고서는 이마에 맺힌 땀을 닦아냈다.

이곳이 바로 사도 궁전의 지하. 네메시스가 프리메이슨을 몰살한 후, 완전히 봉인한 공간이었다.

"혹시, 도면을 기억해?"

라파엘이 위아래로 구조를 스캔하며, 빌라 주스티니아니 도서관에 있던 고대 서적을 떠올렸다. "아마, 기본 구조는 5층. 하지만 지하는 추가로 두 개의 층이 더 있어."

"우린 지금 몇 층에 있는 거지?"

"둘 중 하나일 거야. 지하 1층… 또는 그 아래."

사이먼이 주변을 훑었다. "네가 말한 도면이 정확하다면, 여기가 어디로 연결될 가능성이 크지?"

라파엘은 잠시 숨을 골랐다. "지하 1층에는 비밀 서고가 있어. 교황청에서 공식적으로 인정하는 서고 말고, 정말 아무도 모르는 곳."

"그럼 위로 올라가면?"

"1층은 회랑과 접견실이야. 하지만 네메시스가 프리메이슨을 제거한 이후로는 내부 구조가 바뀌었을 가능성이 커."

"그렇다면 어디로 가지?"

"위로 올라가야 해. 1층으로."

사이먼이 벽을 더듬어 핸드폰 불빛을 비추자, 오래된 양식의 문양이 드러났다. 십자가와 함께 새겨진 독수리 문양.

"이건…" 사이먼이 중얼거렸다.

라파엘이 손끝으로 그것을 짚었다. "프리메이슨이 교황을 조종할 때 쓰던 문양 중 하나야."

"네메시스가 그대로 놔둘 리가 없는데?"

사이먼이 그 벽 아래쪽을 가리켰다. 십자가 아래, 희미하게 긁힌 흔적이 있었고, 무언가를 떼어낸 자리였다. "원래는 이곳이 프리메이슨의 접선 장소였겠지만, 네메시스가 이곳을 손보면서 여러 상징을 제거했어."

라파엘이 고개를 끄덕였다. "그럼, 이제 올라갈 방법을 찾아야겠네."

사이먼이 벽을 손끝으로 두드렸다. "…속이 빈 벽이었다." 라파엘도 같은 생각을 했는지 단도를 꺼내 벽을 살짝 그었다. 먼지가 흩날리며 돌가루가 우수수 떨어지며,

"밀면 열릴 수도 있어."

그들은 힘을 주어 벽을 밀었다. "쾅—." 벽이 천천히 옆으로 밀려나며 숨겨진 통로가 드러났다. 둘은 말없이 눈을 맞췄다. "이제부터가 진짜야."

숨겨진 통로를 지나자 낡고 거대한 계단이 모습을 드러냈고, 교황이 공식적으로 사용하는 계단은 아닌 것만 같았다. 곳곳에 오래된 양초 그을음으로 얼룩져 있었고, 희한한 고대 그리스 로마 조각상과 석판들이 먼지에 덮여 있었다.

"이 계단이 1층으로 이어지는지 확실해?"

"네메시스가 장악한, 사도 궁전에는 접근해 본 적이 없어. 문서와

도면을 통해 구조를 익혔을 뿐이야. 아마도 최상층까지 이어질 거야. 5층까지."

사이먼이 씁쓸한 미소를 지었다. "그러면 그 문서들도 조작된 걸 수도 있겠군." 천장을 올려다보았다. 계단이 끝없이 이어지는 듯했다. "천천히 올라가자. 함정이 있을 수도 있어."

계단은 시간이 멈춘 듯 고요했다. 계단 바닥과 돌벽에도 희미하게 손톱으로 긁힌 자국들. 누군가가 마지막까지 살아남으려 몸부림쳤던 흔적. "그들이 이곳에서 마지막까지 버텼던 걸까?"

"네메시스는 왜 프리메이슨을 그렇게까지 철저히 제거하려고 했을까?"

"그들이 세상을 조종하려 했으니까."

사이먼이 고개를 끄덕였다. "그래. 그리고 그 끝에서… 우리는 네메시스의 진짜 얼굴을 보게 될 거야." 그 순간, 계단 위쪽에서 조용한 움직임이 감지됐다. 두 사람은 즉시 몸을 굳혔고,

"…누군가 있어." 그들은 자신의 입을 손으로 가로막았다.

"쉿… 우린 아직, 1층에 도착하지 않았어."

또다시 어디선가, 들려왔다. 희미한 숨소리, 혹은 속삭임. 이곳에 누군가 있다는 뜻이었다. 그들의 심장이 점점 빨라졌다. 계단은 끝이 없을 것처럼 느껴졌지만, 이제 마지막 한 걸음을 남겨두고 있었으니.

사이먼이 조심스레 몸을 일으켰고 그들은 마침내, 1층에 도착했다. 그곳엔 거대한 기둥들이 늘어서 있었고, 그 기둥 위를 감싸는 것은,

살아있는 존재가 비명을 지르며 돌로 굳어버린 것 같은 형상들이었다.

몸을 기둥마다 은폐, 엄폐하면서 복도를 따라 걸었다. 그러자 거대한 홀이 등장했다. 높게 솟은 아치형 천장은 어둠 속으로 사라질 듯 높았고, 벽면에는 기괴한 문양과 상징들이 새겨져 있었으며, 벽을 따라 기다랗게 늘어선 촛대에서 희미한 촛불이 흔들렸다. 그 한가운데에는 거대한 제단이 있었다.

'완전한 통제'를 상징하는 대칭적 구조—제단 중앙에는 대형 세례대가 자리 잡고 있었다. 666이 선명하게 각인되어 있었으며, 한 남자가 무릎을 꿇고 있었다. 그리고 곧, 머리 위로 하얀 물이 흩날렸다. 그러자 제단 뒤에서 기다리고 있던 이들이 몸을 숙여 경배하오니. 하나같이 정제된 슈트를 입은 이들. —어디선가 본 얼굴이었다.

어떤 이는 유럽 나라 중 한 국가의 대통령이었으며, 또 어떤 이는 동방에서 온 공산당 주석. 그리고 각 세계은행을 주름잡는 금융권의 총재들도 보였다. 검은 예복을 걸치고 무엇인가를 숭배하고 있었다. 마지막으로 그들 앞에는 두 명의 교황이 나란히 서 있었다.

검은 교황. 짙은 흑색의 로브가 발목까지 흘러내렸고, 머리에는 보석이 박힌 검은 왕관이 씌워져 있었다. 전통적인 삼중 관이 아니라, 완전히 다른 형식. 그의 손에는 금빛으로 장식된 흉악한 지팡이가 들려 있었고, 지팡이 꼭대기에는 십자가가 거꾸로 새겨져 있었다.

반대로, 그 옆에 서 있는 흰 교황. 그는 우리가 평소에 알고 있던 교황의 복 차림을 하고 있었다. 순백의 가운, 하지만 얼굴은 어딘가 공허했다.

"사이먼, 마차에서 본 교황을 기억해?" 라파엘이 속삭였다.

사이먼은 침을 삼켰다. "…잘 모르겠어. 하지만…" 그의 시선이 검은 교황으로 향했다. "저자가 의식을 주도하는 자야."

검은 교황이 손을 들며, 힘준 목소리로 홀을 가로질렀다. "이제, 세례를 시작하겠다!"

제단 위에서 무릎을 꿇고 있던 남자와 함께 뒤에서 고개를 숙였던 정치인들의 이마에는 붉은 기호가 찍혀 있었다. 숫자 '666'이었다.

"이제, 영혼의 서약을 할 시간이오." 그들의 눈빛은 맹신에 가득 차 있었으며, 앞에는 성경과는 다른 두꺼운 책이 펼쳐져 있었다.

"너는 이제, 우리의 일부다." 그리고— 검은 교황이 손을 바닥으로 뻗자, 제단 위의 십자가가 순식간에 뒤집혔다. 그리고 그의 손짓에 따라, 검은 로브를 입은 간부 하나가 앞으로 나왔다. 그는 묵묵히 손에 들고 있던 오래된 책을 펼쳤다. 그가 책의 한 페이지를 펼치자, 그 안에서 기이한 글자가 쓰여 있었다. "이곳에서 태어난 자는, 육체를 버리고 영혼을 계약하는 자로서 새로 태어날 것이다."

누군가의 세례식이 끝나고, 또 다른 정치인이 앞으로 나왔다. 그 또한, 누구나 알법한 정치인이었다. 사람들에게는 민주주의와 자유를 부르짖던 인물이었지만, 지금 그는 맹목적인 신도의 얼굴을 하고 있었다. 검은 교황이 그를 내려다보며 중얼거렸다.

"너는 누구를 섬기는가?"

정치인은 머리를 조아리고 대답했다. "…네메시스를 섬기겠습니다." 그 순간, 대형 세례 대 안에서 검은 액체가 요동쳤다. 소용돌이를 치며 파문이 일더니, 안에서 검붉은 형상이 떠올랐다. "영혼을 바치는 대가로, 너는 권력과 명예를 얻을 것이다." 작은 단검을 꺼내어 그 정치인의 손바닥을 가볍게 그었다. 피가 흘러내리더니, 부들부들 몸을 떨며, 뚝뚝 떨어지는 피를 세례 대 안으로 밀어 넣었다. 곧, 눈이 검게 변하더니, 인간의 목소리가 아닌 또 다른 존재의 목소리가 튀어나왔다.

"나는… 여기 있다!"라고 외치며, 마치 새로운 영혼을 가진 듯한 표정으로 음흉한 미소를 지었다. 뒤에 줄지어 서 있던 다른 신자들도 그 모습을 지켜보고 있었다. 그리고 두려움과 흥분이 교차하는 눈빛. 그들은 알고 있다. 이 세례식은 단순한 의식 행위가 아니라, '계약'이었음을.

사이먼과 라파엘은 어둠 속에서 조용히 몸을 웅크린 채 그들을 계속 바라보았다. 검은 교황을 둘러싼 여섯 개의 그림자. - 클라인,

로바노프, 벨모어, 장유인, 그리고 이름을 알 수 없는 두 명의 간부들.
″Erath ma′qesh venor··· (이제 그는 우리 것이 된다···)″ 클라인이 먼저 입을 열었다. 인간의 언어가 아니었다. 뒤이어, 벨모어도 ″T′nash var′melak. (이제 그의 세례명을 정하자)″

저 대화를 들은 라파엘은 사이먼의 팔을 움켜쥐었다. ″저 언어. 고대서의 이론으로만 존재하는 언어야. 사라진 언어. 악마들이 사용했다고 전해지는—″
로바노프가 무릎 꿇은 남자의 머리에 손을 얹었다. 그리고—
″Qis′nar bel.″ 뒤이어, ″Zethra...″ 장유인이 중얼거렸다. 목소리는 차분했지만, 그 안에 차가운 칼날과 같은 권능도 담겨 있었다.
마지막으로 그 여섯 명이 동시에 주문을 외웠다. ″Koth′nai vreth...(네 이름은 이제···)″
무릎을 꿇고, 계약을 받던 신자의 입이 벌어지더니, 알 수 없는 언어들이 무의식적으로 입을 통해 흘러나오는 것만 같았다. ″Skar... vekoth... nai...″
마침내, 세례를 받던 신자는 눈이 하얗게 뒤집히더니, 입이 비정상적으로 크게 벌어졌다. 그리고, 세계의 지도자이자 정치인으로 알려진 6명의 간부는 뒤로 돌아섰고, 검은 교황이 다시 입을 열었다. ″너의 세례명은 ′카르노스′다.″
여기 모인 여섯 명조차도 주인이 아니었다. 심지어, 검은 교황마저도···. 세례식을 지켜본 라파엘은 사이먼에게 속삭였다. “너는 어느

지방에서든지 빈민을 학대하는 것과 정의와 공의를 짓밟는 것을 볼지라도, 그것을 이상히 여기지 말라. 높은 자는 더 높은 자가 감찰하고 또 그들보다 더 높은 자들도 있음이니라."

"라파엘, 우린 여기서… 살아서 나갈 수 있을까?"

차례차례 6명의 새로운 신자들은 6명의 간부와 교황의 지도로, 세례명을 모두 부여받았다. 그리고 한 사람씩, 살결이 서서히 드러났다. 하얀 세례 복이 미끄러지듯 바닥으로 흘러내렸고, 새빨간 촛불이 피부를 타고 흐르며 그림자를 만들어냈다. 남자 셋, 여자 셋. 여섯 개의 몸이 차가운 공기 속에서 온기를 발산했다. 충격적인 것은, 그들의 몸에 새겨진 기이한 문양이었다.

"문신이…… 아니다." 라파엘이 중얼거렸다. 검붉은 선들이 아랫배를 따라 흐르며, 골반을 타고 내려가 신체의 중심을 감쌌다. 그 문양은 불길한 기운을 내뿜으며 요염한 부근에 자리 잡고 있었다. 특히, 여성 신자들의 아랫배에는 날카로운 곡선이 성기를 중심으로 교차하며 얽혀 있었는데, 마치 무언가를 봉인한 듯한 형상이었다. 남성 신자들 역시 마찬가지였다. 허리 아래로 뻗어 나간 어떤 힘이 그곳을 지배하고 있다는 듯한 느낌을 주었다.

갓 봉인된 의식을 증명이라도 하듯, 그들의 육체는 신성한 제물처럼 보였다. 이를 지켜본 라파엘은 입을 열었다. "새겨졌다는 것은, 그 전의 의식도 이미 치렀다는 뜻이지."

"……섹스 파티."

사이먼은 그들의 눈을 하나하나 바라보았다. 남자들은 단단한 턱과 어두운 눈빛을 가졌고, 여자들은 긴 머리칼이 등을 타고 흘러내렸다. 아름다웠다. 너무도 깨끗하고, 완벽해서 소름이 돋을 정도로. 그리고 다시 라파엘에게 속삭였다. "간부들이 이미 그들을 단체로 범했다는 뜻이지?"

그 순간. 한 여자가, 가장 어린 듯한 그녀가 천천히 무릎을 꿇었다. 곧이어 나머지 신자들도 무릎을 꿇더니, 순결을 바친 몸을 한껏 내보이며, 신의 명을 기다리는 듯한 자세를 취했다.

"그렇지. 그들은 세례명을 부여받기 전, 이미 몸을 허락했다는 뜻이야."

자신들의 몸은 이미 자신의 것이 아니었으며, 방금, 육체뿐만 아니라 영혼도 바친 시간이었다.

사이먼과 라파엘은 숨을 죽인 채, 다시 계단으로 서서히 자리를 옮겼다. 1층의 음울한 기운에서 벗어나자마자, 공기가 확연히 달라졌다. 여기는 2층이었다. 기둥도, 벽도 없었다. 대신 어두운 천장 위로 삼각형 구조의 기묘한 돔이 구성되었고, 그 중앙에는 거대한 '눈'이 떠 있었다. 홍채는 붉은빛으로 빛났고, 동공은 끝없이 깊은 심연처럼 검은색이었다. 순간적으로 그 눈과 마주치자, 그들의 머릿속이 아득해졌다. 의식이 빨려 들어가는 느낌.

라파엘이 사이먼의 팔을 세게 잡아당겼다. "보지 마!"

사이먼은 정신을 차리고 고개를 확 돌렸다. "방금 그건… 뭐였지?"

네메시스가 점령한 뒤, 프리메이슨의 상징인 '눈'도 계승했다는 건가?

거대한 "눈"이 벽에 새겨진 채, 전 우주를 꿰뚫어 보고 있다. 그 큰 눈은 우리를 본다. 우리의 존재를 헤집고, 속속들이 꿰뚫어 본다.

그들은 서둘러 숨을 곳을 찾아야 했다. 주위를 둘러보니, 사방이 탁 트인 공간. 벽조차 없다. 그러나, 바닥 한쪽이 계단처럼 낮아지는 공간이 보였고, 라파엘이 먼저 뛰어들어가 몸을 웅크렸다. 뒤따라 사이먼도 납작 엎드렸다. 그 순간. 2층으로 올라오는 발소리가 들렸다. - 수십 개의 발소리. 불협화음처럼 뒤엉켜, 사형선고를 앞둔 죄수들의 마지막 행진 같았다. 이내, 발소리는 죽은 자의 입김처럼 희미하게 사라졌고, 등 뒤로 느껴지는 기묘한 공기가 감돌았다. 마침내, 전시안은 검은 교황과 간부, 그리고 신자들을 바라봤다.

무심코 전시안을 바라볼 때마다 공간이 흔들리며, 현실과 비현실이 허물어지는 듯한 기분이 들었다. 그 앞으로 검은 교황이 한 걸음 앞으로 나섰다. 그의 뒤에는 간부들—클라인, 로바노프, 벨모어,

장유인, 그리고 나머지 두 명. 그들은 마치 연극의 마지막 막이 오르기를 기다리는 배우들처럼 무표정하게 서 있었다.

그리고… 나체의 신규 신자 여섯 명이 모습을 드러냈다. 그들이 전시안을 쳐다보자, "아아아아아—!" 비명을 질렀고, 얼굴은 무아지경에 빠진 듯한 표정을 하고 있었다. 그들은 전시안을 통해 분명, 무언가를 보고 있었다.

한 명은 자신의 손을 보며 경이로운 표정을 지었다. 자신의 손이 황금으로 변한다고 생각하는 모양이었다. 또 다른 이는 눈을 감고 미소를 지었다. 보이지 않는 왕좌에 앉아 군림하는 듯한 모습.

부. 명예. 권력. - 그들의 표정은 환희로 물들어 있었다. 신의 선물을 받은 듯한 표정. 그러나— "…저건 지옥이야." 라파엘이 낮은 목소리로 말했다.

"아…아니야…!!"라고 외치는 6명의 신자. 눈이 커지고, 입술이 떨렸다. 손가락이 공포에 휘감긴 듯 뒤틀렸다. 그들이 가장 원하는 것을 본 순간, 그들이 가장 두려워하는 환상도 스며드는 것만 같았다. 황금으로 변해가는 손을 보며, 환호를 지르던 신자는 헛구역질을 하며 바닥에 주저앉았고, 희미한 미소를 지으며, 환각 상태에 빠졌던 신자는 미친 듯이 자신의 얼굴을 손톱으로 할퀴었다. 마치 무언가가 피부를 파먹고 있는 것처럼.

그들은 본 것이다. - 천국과 지옥이라는 환상을…. 그것은 '무의식 속에서 창조된 지옥'이었다. 네메시스는 단순히 세상을 조종하는 것이 아니라, 인간의 욕망을 증폭시키고, 그 끝에서 절망을 선물하는 존재였다. 전시안을 향해 넋이 나간 채 미소를 짓다가, 돌연 끔찍한 환각에 몸부림치는 신자들과 간부들. 그리고 검은 교황마저 그 눈에 삼켜졌다.

"이때다." 라파엘이 먼저 몸을 숙이며 그림자 속으로 스며들었다. 사이먼도 잽싸게 뒤를 따랐고, 그들은 복도를 가로질러 3층으로 이어지는 계단을 향해 달렸다. 그들의 숨소리가 거친 숨결로 섞여 나왔을 때, 사이먼은 등 뒤를 한 번 돌아봤다. 그곳은 인간의 욕망과 공포가 뒤엉킨 지옥이었다. 환락과 비명, 쾌락과 절망, 축복과 저주가 뒤섞여 공기를 짓누르며, 모든 것이 뒤엉킨 공간을 등지고, 더 깊은 곳으로 들어가고 있었다.

그들은 마침내, 3층에 도착했다. 1층의 세례식 장소와도, 2층의 전시안을 새겨둔 피라미드 장소와도 전혀 다른 분위기. 이곳에는 거대한 회랑(回廊)이 있었다. 천장은 높고 어두웠으며, 중심에는 끝없이 늘어선 검은 돌기둥들이 박혀 있었다. 그 기둥들 사이에는 금빛으로 새겨진 문양들이 빛을 머금고 있었고, 맹세의 문장이 쓰여 있었다. 캄캄한 어둠 속에서도 빛나는 그 문장들은 언뜻 보기에 고대에 쓰인 문구처럼 보이기도, 자세히 들여다보면 라틴어 같기도 했다.

"…이건 살아 숨 쉬는 문서야." 라파엘이 낮은 목소리로 중얼거렸다.

돌기둥에 새겨진 문장은 '읽는 것이 아니라, 읽히는 것이다'라고 쓰여 있었다. 마치 인간의 무의식에 직접 각인되는 듯한 느낌. 그것이 네메시스의 서약문, 맹세(Oath)의 본질이었다. 사이먼은 조용히 한 걸음을 내디뎠다. 그 순간. 기둥에 새겨진 금빛 문양들이 미세하게 흔들렸다. 마치 그들의 존재를 인식한 듯.

"쉿, 여기서도 숨을 곳을 찾아야 해." 라파엘이 작은 소리로 속삭였다. 사이먼은 주변을 둘러봤다. 저기, 벽 쪽으로 이어지는 작은 아치형 입구. 그 너머엔 비밀의 서고처럼 보이는 어두운 공간이 보였다. "저쪽이다!"

발소리를 죽이고, 어둠 속으로 사라졌다. 그들은 지금, 네메시스의 심장부에 와 있었고, 먼 곳에서 울리는 메아리처럼. 하지만 무언가가 그들을 향해 빠르게 다가오고 있었다.

"나의 아들들아, 너는 이미 위선자의 역할을 연기하라고 지도받았을 것이다."

우당탕! 쿵! 무언가가 부딪히고, 넘어지고, 뼈가 부서지는 소리가 울렸다. 바로, 2층에서 기어 올라오던 환각에 취한 무리가 3층으로 쏟아져 들어오는 소리였다. 그들의 눈동자는 뒤집혀 있었고, 입술은 말라붙어 갈라졌으며, 온몸은 핏발이 선 채 꿈틀거리고 있었다. 마치 무언가에 쫓기는 사람들처럼. 아니, 쫓기는 것이 아니라, 무언가에 끌려오고 있었다. 나체의 신규 신자들. 그들은 갑자기 광기에 휩싸인 듯 기둥 사이를 미친 듯이 뛰어다녔다. 비명을 지르며, 혀를 굴리며, 자신의 머리를 쥐어뜯으며, 비틀거리며, 넘어지고, 웃으며, 울며. "네메시스 신자가 되어라! 감시자가 되어라!"

"아무도… 아무도 믿지 말아라… 믿지 말아라… 믿지… 마… 아… 라!"

그들은 기둥에 쓰여 있는 서약문을 읽는 것이 아니라 무아지경으로 내뱉고 있었다. 그리고 기둥에 손을 얹는 순간, 그들의 몸이 경련을 일으켰다. "위그노파에서는 위그노 교도가 되어라!" "켈빈주의에서는 켈빈주의자가 되어라!" "프로테스탄트 주의에서는 개신교도가 되어라!"

그것은 명령이었다. "그들에게 신용을 얻고, 그들의 강단에서 여왕의 말씀을 선포해라."

한 신자가 두 눈을 뒤집어 깜박이지 않은 채 중얼거렸다. "유대인과 함께할 때는… 머리를 숙이고… 유대인이 되어라…" 그리고는 흐느끼듯 웃었다. 눈물인지 침인지 모를 액체가 입가에서 흘러내렸다. "이렇게 한다면… 더욱 많은 정보를… 손쉽게 얻을 수 있으며…" 그는 손톱이 부러질 정도로 기둥을 움켜쥐었다. "네메시스의… 충성스러운 전사가 될 수… 있… 있… 을 것이다…!"

"잠복해서 과학과 예술이 번영하는 나라에 질투와 증오를 뿌려라." 어떤 신자는 입을 틀어막고 울었고, 어떤 신자는 자신의 손톱을 눈꺼풀 아래로 밀어 넣었다. 그리고, "전쟁에서는 한 쪽 진영을 선택한 후, 상대 진영에 잠복해있는 형제와 은밀히 연락해라." 그들이 입을 맞춘 듯 동시에 말했다. "공개적인 장소에서는… 서로에게… 적대적인 태도를 보여라…"

피가 흐르고 있었다. 하지만 그 누구도 아파하지 않았다. 그들의 입에서 피가 흐르고, 그들의 손끝에서 피가 흐르고, 그들의 눈꺼풀에서 피가 흐르고.

"간첩이 되어라!" 그 순간, 기둥의 문장들이 일제히 붉은 빛을 내뿜었다. 그 빛은, 눈이 멀게 하는 빛이 아니었다. 정신을 태우는 빛이었다. 그리고 그곳을 통제하는 검은 그림자. 검은 교황. 그는 미소를 지으며 말했다. "기둥에 새겨진 문장들은 사람들의 입을 통해 태어났고, 그것들은 사람들의 피를 통해 완성되었다. 이제, 그것들은 실현될 것이다."

그 말에, 기둥 사이를 미친 듯 뛰어다니던 벌거숭이 신자들이 한 순간에 확 멈춰 섰다. 마치 하나의 정신으로 연결된 꼭두각시 같았다. 거친 숨소리조차 멈춘 채, 황홀경에 빠진 듯한 표정으로 일렬로 늘어섰다. 그러더니, 갑자기— 그들은 입을 열었다. 목소리는 남성의 저음과 여성의 고음이 기괴하게 겹쳐 울려 퍼졌다. 마치 한 사람이 아니라, 오래된 무덤에서 잠든 미이라가 동시다발적으로 입을 열어 말하는 듯했다. "나는 기회를 잡게 되면, 개신교도와 자유주의자들을 향해 비밀스럽고도 공개적으로 전쟁을 일으켜 그들을 파멸시킬 것을 맹세한다." 그들의 발밑에서 검붉은 액체가 스며 나오기 시작했다. 피였다. 그것은 천천히 흐르다가 바닥에 그려진 고대 문양을 따라 퍼지며 기묘한 형상을 이루었다.

"나이도, 성별도, 조건도 개의치 않고 사악한 이교도들을 말살할 것이다." 그들의 눈이 위로 뒤집혔다. 마치 그들은 이 세상에 존재하지 않는 무언가와 연결된 것처럼 보였다.

"나는 그들을 목매달고, 불태우고, 폐기하고, 끓이고, 가죽을 벗기고, 목을 조르고, 산 채로 매장할 것이다." 그 말이 끝나기가 무섭게, 기둥에서 검은 연기가 뿜어져 나왔다. 그리고 연기 속에서 비명이 들려왔다. 수천 개의 목소리. 남자, 여자, 아이, 노인의 목소리. 그들은 고통스럽게 울부짖었고, 흐느꼈으며, 몸부림쳤다. 그런데도 여섯 명의 신도들은 멈추지 않았다. 오히려, 그들의 얼굴에는 광기 어린 미소가 번져 있었다.

“나는 그들의 부녀자의 위장과 자궁을 찢고, 갓난아이의 머리를 벽에 내던져 이교도의 종족을 말살시킬 것이다.” 그 순간, 성전(聖殿)의 천장에서 검붉은 액체가 방울져 떨어졌다.

“나는 언제나 교황의 휘하에 있는 네메시스에 충성을 맹세할 것이다. 만약 공개적으로 실행할 수 없다면, 상대의 명예나 지위, 위엄, 권위에 상관없이 비밀리에 독약, 목 조르는 끈, 비수, 총알을 사용할 것이다.” 그 말이 끝나자, 거대한 기둥들이 동시에 울렸다. 쿵! 쿵! 쿵! - 마치, 무언가가 기둥 안에 갇혀 있는 듯한 둔탁한 소리. 그때, 검은 교황이 바닥을 향해 손짓했고, 여섯 명의 신자들은 심장이 멎은 듯 가만히 또 멈췄다. 그리고 천천히, 아주 천천히 고개를 들었다.

검은 교황은 천천히 오른손을 들어, 신자들에게 일어서라는 신호를 보냈다. ″너희는 이제 네 발로 일어서라.″

신자들은 한 치의 흐트러짐 없이 일어섰다. 그 순간, 뒤쪽에 서 있던 여섯 명의 간부들도 천천히 다가왔다. 그들은 붉은 천으로 덮인 단검을 손에 들고 있었으며, 검은 교황의 명에 따라 한 사람씩 신자들에게 다가갔다. “너희에게 교리문답서의 핵심을 지령한다.”
신자들은 일제히 고개를 숙였다. “너희는 이제 이 계급에 속한 네메시스의 회원임을 깨달아야 한다.”

검은 교황이 손짓하자, 신자들과 간부들이 한 명씩 서로를 향해 다가갔다. 그리고 간부들은 신자들의 손바닥과 발목, 심장과 성기를 만지며 성스러운 상징을 보이더니, 마지막으로 단검을 가슴과 복부 아래로 긋는 동작을 수행했다. 신자들의 얼굴은 일그러졌지만, 단 한 명도 소리를 내지 않았다. 검은 교황이 작은 종이를 꺼내 신자들에게 건넸다. 신자들은 그것을 열어보았고, 종이에 세 번이나 반복된 단어를 발견했다. "NEMESIS. NEMESIS. NEMESIS."

검은 교황이 묻는다. "그대는 어디서 왔는가?"

신자들이 입을 모아 대답했다. "거룩한 지역에서, 갈보리에서, 요르단 계곡으로부터, 그리고 로마로부터."

"너희는 무엇을 소유하였으며, 무엇을 위해 싸우는가?"-"거룩한 신앙을 위해서."

"누구에게 봉사하는가?"-"교황을 포함한 네메시스 간부와 전 세계를 통제하는 여왕을 위해서."

검은 교황이 미소를 지었다. 그의 눈빛은 만족감으로 빛났다. "누가 너희에게 명령하는가?"-"군사들을 조직한 교황과 그를 지도하는 네메시스의 상속녀."

"누가 너희를 받아들였는가?"-"자줏빛과 붉은 옷을 입고, 금과 보석 진주로 치장한 분이다."

"어떻게?"- "칼집에서 뽑은 단도를 가지고, 우리의 신성한 조직과 상속녀의 깃발 아래, 무릎을 꿇었노라."

검은 교황이 고개를 끄덕이며 마지막 질문을 던졌다. "너희는 세례명을 부여받고, 전시안을 보았으며, 선서문에 대한 맹세를 마쳤는가?"

신자들의 눈이 검은 교황과 마주쳤다. "그렇다. 주저함이나 불평 없이, 모든 일에서 내 상급자들에게 복종한다."

“너희는 그렇게 하겠는가?”-“나는 그렇게 할 것이다.”

검은 교황이 눈을 감았다가 천천히 떴다. “어디로 가겠는가?”-“지구의 구석구석으로.”

“무엇을 위해서인가?”- “내 수장인 여왕이자 네메시스 상속자의 명령을 무조건 복종하고, 교황의 뜻을 실행하며, 상급자의 말을 따르며, 내 서약의 조건을 신실하게 이행하기 위해서이다.”

검은 교황은 마지막으로 그들에게 명했다. “가라. 온 세계로. 그리고 네메시스의 이름으로 모든 나라를 소유하라.” 그의 목소리는 3층 천장에 부딪히며, 퍼져나갔다. 그리고 벌거벗은 신자들은 다시 무릎을 꿇었다. 여섯 명의 간부들이 그들 머리 위에 단검을 올려두었고, 검은 교황이 마지막으로 선언했다. “너희는 이제 네메시스의 일원이 되었다.”

서약식을 지켜본 라파엘의 목소리는 섬뜩할 만큼 차분했다. "네메시스는 인간을 운명으로 묶어놓고, 그 운명을 이용해 조종하지."
반면, 충격에 빠진 사이먼은 아무 말 없이 그들을 바라보았다. 멀리서 교황의 마지막 선언이 울려 퍼졌다. "이제, 너희는 하나의 세계정부를 위해 싸울 것이다. 너희의 운명은 모두 정해졌다."

사이먼과 라파엘은 주위를 쓱 둘러보았다. 의식을 마친 자들은 점차 시간이 지나면서, 하나둘 종적을 감췄고, 아래층으로 이동하는 기척이 들려왔다. 정적이 찾아왔다.

“혹시라도 남아 있는 자가 있을까? 혹은 다시 돌아올까?” 사이먼이 라파엘에게 물었으나, 조금 더 기다리자는 손짓에 그들은 한동안 그 자리에 그대로 있었다. 그리고 10분 정도 시간이 흐른 뒤,

완전히 조용해졌다. 사이먼이 서서히 몸을 일으키며 라파엘을 힐끗 보았다. 그제야 라파엘도 고개를 끄덕였다.

1층부터 3층까지 진행된 세례 의식이 완전히 끝났음을 확인한 그들은 다리에 가해지던 압박이 풀리자 피가 다시 흐르는 것이 느껴졌다. 조심스럽게 옷깃을 여미고, 발소리를 죽이며 앞으로 나아갔다. 이제, 4층으로 향할 시간이었다.

그리고, 3층과 4층을 잇는 마지막 계단에서 두 사람은 한순간 숨을 죽일 수밖에 없었다. 계단 위에는 검은 후드를 쓴 남자가 서 있었다. '경비인가?'

다행히도 그 남자는 이들의 존재를 알아차리지 못한 채, 방으로 다시 들어갔다.

"지금이다." 그 틈을 타, 둘은 빠르게 로비로 올라갔다. 1층, 2층, 3층이 종교적 색채를 띠었다면, 4층은 완전히 색다른 공간이었다. 로비의 중심에는 검은 돌로 만든 강대상이 있었고, 위에는 성경과 비슷한 형태의 두꺼운 책이 있었으나, 막상 표지에는 ′네메시스의 계율′이라 쓰여 있었다. 그리고 로비를 기점으로, 두 개의 나무문이 양옆에 서 있었는데, 아까 그 남자가 들어간 오른쪽 문에서 유달리 북적거리는 소리가 들려왔다. 가까이 다가 가보니, 나무문의 표면에는 음각으로 새겨진 디자인이 보였다. 무너지는 바벨탑이 보였고, 그 위에서 축배를 드는 검은 교황의 모습까지 선명했다. 반면, 왼쪽 문에는 피로 물든 천사들이 지상의 인간들을 조롱하는 듯한 양각을 새긴 흔적이 있었다.

조심스럽게 살짝 왼쪽 문의 손잡이를 돌리자, 거대한 홀처럼 넓은 방이 나타났다. 벽면을 따라 수백 개의 액자가 정렬되어 있었고, 중앙에는 유리 진열장이 늘어서 있었다. 이곳은 그들이 조작한 역사를 훈장처럼 걸어둔 방이었다.

액자 속에는 익숙한 인물들이 있었다. 볼셰비키 혁명의 레닌이 미소를 띠고 있었고, 히틀러는 웅변하는 모습으로, 마오쩌둥은 무언가를 지시하는 손짓을 하고 있었다. 그런데 이상했다. 일반적인 역사 박물관과 달리, 이들의 초상화 아래에는 짧은 문구가 적혀있었다.

"계약 성립: 1917년"

"운명 확정: 1933년"

"영혼 소유권 이전: 1949년"

그것도 누군가와의 계약서 같았다. 그리고 계약이 체결된 날짜와 운명의 흐름이 기록되어 있는 듯했다.

중앙 책장의 진열장에는 더 충격적인 것들이 있었다.

– 히틀러의 친필 서명이 적힌 문서.

– JFK 암살 계획도가 적힌 설계도.

– 9·11 테러 이후의 정리 문건.

– 기축통화로서 달러 체제 확립을 위한 내부 회의록.

"이건…" 라파엘이 손가락으로 가리켰다. "그들이 만든 역사야."

사이먼은 손을 뻗어 JFK 암살 문서를 꺼내려 했지만, 진열장이 뭔가를 감지한 듯 유리창 표면이 일시적으로 검게 변했다. 안이 보이지 않자, 라파엘은 그를 잡아당겼다. "아직 들키고 싶지 않으면, 조심해야 해."

30초 정도의 시간이 흐르니, 유리의 표면은 다시 밝아졌고 사이먼은 씁쓸한 얼굴로 벽면의 액자들을 바라보았다. 그때, 한 액자의 아래 작은 플라크가 눈에 들어왔다. 거기에는 예상치 못한 이름이 적혀있었다.

– "계약 성립: 1979년 - 에스텔 라파엘" 온몸에 서늘한 전율이 쫙 흘렀다. 사이먼은 한 걸음 뒤로 물러났다. 심장이 불규칙하게 뛰었고, 눈앞의 글자가 번져 보였다. 거짓말 같았다. 아니, 거짓말이어야만 했다. 그리고 그의 시선이 서서히 옆으로 옮겨갔다. 라파엘. 어두운 조명 아래, 잔뜩 굳어버린 얼굴.

"이게 뭐야…? 라파엘, 대답해. 대체 이게 뭐냐고."

라파엘은 입술을 열었다가 닫았다. 순간적으로 당황한 기색이 스쳤다. 그러나 곧 차분한 목소리로 말했다. "사이먼, 오해야. 내 이름이 적혀있다고 해서–"

"그래서 뭐?" 비명을 지를 뻔한 사이먼은 더는 라파엘을 바라볼 수 없었다. 대신 다시 그 액자를 쳐다보았다. 날카로운 금빛 액자 안에서, 검붉은 글자가 섬뜩하게 빛나고 있었다.

"설마… 네가…!" 사이먼은 한 걸음 더 뒤로 물러섰다. 아까보다 숨이 가빠졌다. "너도… 네메시스와 계약한 거야?"

라파엘은 한숨을 쉬며 조용히 손을 들었다. "진정해, 사이먼. 넌 날 믿어야 해."

"믿으라고?! 여기에 네 이름이 박혀 있는데?!"

"생각해봐." 라파엘이 낮고 단단한 목소리로 말했다. "내가 왜 그럼 너를 여태 도왔겠어? 동명이인일 뿐이야. 잘 생각해보라고!"

"동명이인이라고?"

"가능성은 충분하지." 라파엘이 침착하게 답했다. "그리고 네가 알잖아."

"아니. 난 너를 몰라. 어떻게 확신하지?" 사이먼이 신경질적으로 내뱉었다. "네 과거를 내가 어떻게 알아?!"

라파엘이 그에게 한 걸음 다가가니, 사이먼은 반사적으로 몸을 뒤로 젖혔다. "좋아. 그럼 네가 생각하는 최악의 경우를 가정해 보자." 라파엘이 조용히 말했다. "만약 내가 정말 네메시스와 계약했다면, 난 여기서 바로 너를 죽일 수도 있어. 아니? 그 전에 죽였을 거야. 그렇지 않아?"

사이먼은 아무 말도 하지 않았다. 라파엘은 계속 이어갔다. "내가 그들의 하수인이라면, 여기 오기도 전에 넌 사라졌을 거라고!"

사이먼의 목젖이 위아래로 움직였다. "그런데 나는 지금 여기, 네 옆에서 그들에게 도망 다니며, 정보를 수집하고 있잖아. 위험을 무릅쓰고! 목숨을 걸고! 이곳에 들어왔어! 제발 믿어줘." 라파엘의 눈빛이 깊어졌다. "사이먼, 지금 선택해. 네 감을 믿어. 네가 날 믿는다면, 같이 가자. 하지만 아니라면…" 그는 한숨을 쉬었다. "네가 원한다면 여기서 갈라서도 좋아. 하지만 그 전에 다시 한번 생각해."

사이먼은 한동안 말이 없었다. 심장이 아직도 두근거렸지만, 차갑던 공기가 서서히 가라앉고 있었다. 그리고 라파엘은 여전히 그의 앞에 서 있었다. 변함없는 표정.

사이먼은 천천히 숨을 들이마셨다. 그리고, 마침내 입을 열었다. "…젠장, 라파엘." 그는 손으로 얼굴을 훑더니, "만약 네가 날 배신하면, 내가 너를 직접 죽여버릴 거야."

라파엘은 그저 조용히 웃었다. "알겠어." 그렇게, 두 사람은 다시 그 방을 이리저리 둘러봤다. 희미한 조명 아래, 먼지가 가라앉은 유리 표면에 흐릿한 글자들이 새겨져 있었다.

"볼셰비키 혁명 - 1917년: 예측된 질서 재편"

"대공황 - 1929년: 금융 시스템 리셋"

"2차 세계대전 - 1939~1945년: 군수 산업의 황금기"

사이먼은 천천히 벽을 따라 걸으며 액자들을 하나씩 살펴보았다. 사진 속 인물들은 너무나 익숙했다. 루스벨트, 처칠, 스탈린, 그리고 로스차일드 가문의 후계자들. 그들의 회담 사진 아래, 작은 주석이 있었다. "국가 전쟁: 무기고 소진과 경제 재건을 위한 필수 불가결한 수단" - 군수 산업이 돌아가기 위해선 전쟁이 필요했다. 그리고 전쟁이 끝난 후에는 새로운 통화 시스템이 필요하다. 그렇게 기축통화는 더욱 강해지고, 전후 복구 사업으로 경제는 다시 살아난다. 모든 것이 연결되어 있었다.

"브레튼우즈 협정(1944): 달러를 세계 기축통화로" - "네메시스가 주도했다는 거지?" 사이먼이 묻자, 라파엘이 고개를 끄덕였다. "당연하지. 전후 세계를 재편하면서 달러와 유로화를 기축통화로 지정하는 건 필수적인 조치였어. 그래야 미국과 유럽 중심의 경제 질서가 확립되고, 금융 엘리트들이 세계를 장악할 수 있었으니까."

"그럼 지금의 CBDC는 뭐야? 할아버지가 주신 USB에서 봤어. 기축통화 자금흐름은 디지털 화폐 흐름과 정반대였어." 사이먼이 물었다.

"네메시스는 여전히 기존 시스템을 유지하고 싶지. 기축통화가 이미 그들에게 완벽한 이익 구조를 넘어서, 세계를 통합할 힘을 만들어줬거든. 그런데 CBDC는 국가가 직접, 발행하는 디지털 화폐야. 정부가 은행을 거치지 않고, 국민의 돈을 통제할 수 있다는 의미이기도 하니까."

사이먼은 미간을 찌푸렸다. "그럼, 중앙은행과 기존 금융 자본가들은 CBDC를 반대하겠군."

"그렇지." 라파엘이 문서를 펼치며 말했다. "CBDC의 가장 큰 문제는 통제야. 정부가 모든 거래를 추적할 수 있어. 돈의 사용처를 지정할 수도 있고, 심지어 특정 계층에게만 돈을 쓸 수 있게 제한할 수도 있지. 예를 들면, 네가 탄소 배출량을 초과했다면, 네 차를 위한 연료 구매가 차단되는 식이야."

"그럼 자유로운 시장 경제는 사라지는 거군."

"그렇다고 볼 수 있지. 뭐, 그전에도 꼭 자유롭진 않았지." 라파엘이 고개를 끄덕였다. "하지만 네메시스는 기어코 반기질 않아. 몇 번이나 말했지만, 지금까지 달러와 유로, 금을 통해 국제 금융 시장을 조작해왔는데, CBDC가 확산되면 이 시스템이 무너질 위험이 크거든. 은행을 통하지 않는 디지털 화폐가 생기면, 기존의 통화 패권이 흔들릴 테니까."

사이먼은 한동안 침묵했다. "그럼 암호화폐는?"

"그게 변수야." 라파엘이 낮게 말했다. "비트코인 같은 분산화된 암호화폐는 오히려 두 세력의 통제에서 벗어나는 길일 수도 있어. 중앙정부도 손을 댈 수 없는 화폐니까. 하지만 그런 화폐가 대중적으로 쓰이도록 놔둘 리가 없지."

사이먼은 머리를 긁적거렸다. ″그러니까 정리하면, 네메시스는 기존 기축통화를 유지하고 싶고, CBDC는 기술이 발전되었다고 말하는 것은 명목상이고, 실은 정부가 국민을 직접 통제하는 수단이 될 수 있으며, 암호화폐는 그 둘을 전부 위협하는 존재라는 거네?″

″정확해.″ 라파엘이 문서를 내려놓았다. ″지금 세계 경제에서 벌어지는 싸움이 바로 그거야. 통제의 방식이 변하려는 순간, 기존 지배층과 새로운 통제 세력 사이의 갈등이 벌어지는 거지.″

그때, 사이먼은 이탈리아에 막 도착했을 때 일이 생각났다. - 유럽중앙은행(ECB)의 총재, '클라우스 하우저'의 극단적 선택

″얼마 전에 하우저가 죽은 거 알아? 뉴욕에서 자금이 이동하는 것을 살펴봤을 때, 뭔가 이상했어. 그리고 그 시점에, 총재가 자살한다고?″

라파엘은 천천히 고개를 돌려 사이먼을 바라보았다. ″하우저는 암호화폐를 적극 지지했고, 동시에 CBDC도 밀어붙이려 했지.“

“그는 네메시스에 대항한 거야? 아니면 배신한 거야?”

라파엘이 짧게 숨을 뱉으며 어깨를 으쓱였다. ″그래. 뭐, 아마도 암살당했겠지.″ 그는 무심히 말했다. ″정황상 배후를 추측할 수는 있지만, 정확히 누가 손을 썼는지는 알 수 없어. 역사는 늘 승자에 의해 쓰이니까.″

라파엘이 방 한구석으로 걸어갔다. 그곳엔 인간과 짐승이 뒤섞인 듯한 기묘한 형상을 입힌 조각상이 있었다. 머리는 사자의 형상이며, 몸은 비늘이 둘러싸고 있었다. 그 받침대에는 네메시스의 철학이 새겨져 있었는데, ″인류는 혼란을 통제하지 못한다. 지구의 안전

을 위해서 일부 인간은 희생되어야 하며, 강력한 지도자의 질서만 이 나머지 인류를 통제한다." - 그리고 문장의 끝에는 익숙한 숫자가 있었다. '666'

라파엘 옆으로 다가온 사이먼의 입에서 조용한 탄식이 흘러나왔다. "이게… 네메시스의 철학인가?"

라파엘은 조용히 말했다. "그래. 이게 그들이 세상을 보는 방식이야."

라파엘과 사이먼은 조용히 왼쪽 방을 빠져나왔다. 조금 전까지, 음울한 역사를 담은 문서들의 낡은 향이 아직도 옷깃에 배어 있는 듯했다.

"이제 오른쪽 방이다."

라파엘은 고개를 저었다. "아까 그 경비가 들어간 곳이지?"

사이먼이 다시 한번 주위를 살폈다. 복도에는 아무도 없었다. 그러나 어딘가에서… 조그만 소음이 귀에 들려왔다. 웅성웅성하는 소리.

"저 안에서 무슨 일이 벌어지고 있는 거지?" 사이먼이 오른쪽 문 앞에 서려 하자, 라파엘은 그의 팔을 붙잡았다. "기다려."

"왜?"

"잘 들어봐. 웅성거리는 소리가 너무 커. 그리고 아까 그 사내가 들어갔는데. 너 미쳤어?"

문득, 둘의 시선이 나무문 옆의 벽으로 향했다. "좋은 인간은 아름다운 열매를 맺고, 못된 인간은 나쁜 열매를 맺나니, 좋은 인간이 나쁜 열매를 맺을 수 없고, 못된 인간이 아름다운 열매를 맺을 수 없느니라."

라파엘의 손끝이 싸늘해졌다. "이건 단순한 경고문이 아니야. 이런 문장을 새겨놓을 정도면 안에 있는 건 우리가 감당할 수준이 아닐 수도 있다고. 사이먼, 이 문은…" 그러나 사이먼은 이미 문고리에 손을 뻗고 있었다.

"사이먼, 절대 열어선 안 돼." 라파엘은 단호했다. "네메시스의 방식은 단순한 억압이 아니야. 그들은 인간의 본질 자체를 뒤틀어 버린다고!"

철컥— 문이 열리는 순간, 냄새가 확 밀려왔다. 피비린내였다. 그리고 눈앞에 광경.

넓은 공간. 하지만 그것을 '공간'이라 부를 수 있을까? 바닥에는 수십 개의 쇠침대가 줄지어 놓여있었고, 그 위에는 사람들이 묶여 있었다. 아니, 사람이라 부를 수 있는 존재들이었다. 그들의 몸에서 피가 천천히 빠져나오고 있었다. 각 침대 옆에는 유리관이 연결되어 있었고, 붉은 액체가 천천히 흐르고 있었다. 역시, 피가 맞았다.

"…인간 농장." 라파엘이 거의 숨을 멎은 채 중얼거렸다. 거기에는 검붉은 잉크가 가득 찬 거대한 통도 있었는데, 그 위에는 이렇게 적혀 있었다. "계약 파기 잉크."

라파엘의 손이 떨렸다. "여긴… 배신자들을 벌하는 곳이야."

그때, 한 사람이 고개를 들었다. 창백한 얼굴. 생기를 잃은 눈동자. 그리고 그 입술이 희미하게 떨리며 말했다.

"…살려줘."

악마와 계약한 자들. 그러나 그 계약을 어긴 자들. 즉, 네메시스의 배신자들. - 그들의 피가 흘러내려, 계약을 '파기하는 잉크'가 되어

가는 장소. 마치, 과거 난치병 치료를 위해 보관하던 탯줄혈액처럼, 유리관 안에 보관된 액체가 끊임없이 출렁였다.

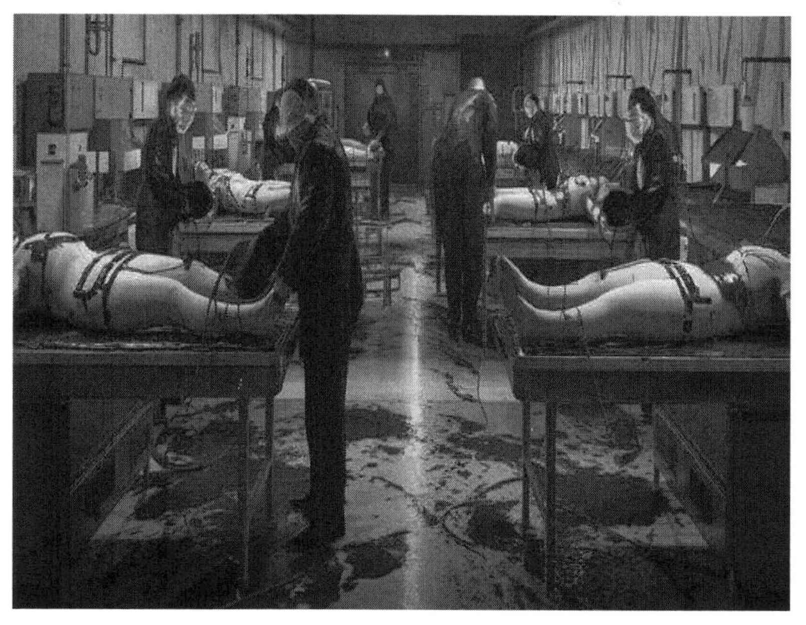

그들의 눈이 사이먼과 라파엘을 향했다. "…다시… 살려줘…" "다, 다시 살려줘…" 그들의 목소리는 마치 지하에서 울려 퍼지는 원혼의 속삭임 같았다. 그리고, 뒤쪽 방문이 스르륵 열렸다.

어둠의 그림자가 한꺼번에 흘러나오듯, 검은 옷을 입은 자들이 천천히 모습을 드러냈고, 동시에— "…"

사이먼과 라파엘도, 검은 옷의 사내들도, 서로를 보고 그대로 얼어붙었다. 그리고, 적막을 깨뜨리며— "너희는 누구냐!" 고막을 찢을 듯한 울림. "멈춰라!!" "어떻게 들어왔지!?"

"죽여라—!"

순식간에 이곳은 혼돈으로 변했다. 검은 옷의 요원들이 일제히 허리춤에서 무언가를 꺼냈고, "도망쳐!"라고 라파엘이 외치자, 사이먼은 문을 닫고, 곧장 복도로 뛰었다. 탕! 총성이 울렸다. 바로 옆 기둥이 깨지며 콘크리트 조각이 사방으로 튀었다.

"젠장…!" 사이먼이 이를 악물고 몸을 낮추며 전속력으로 달렸다. "옥상으로 갈 수 없어! 땅굴로 이동하자!"

검은 네메시스 요원들이 순식간에 뒤에서 포위망을 좁혀오고 있었고, 계단참에서 요원들이 속속들이 모습을 드러냈다. 위에서는 구두 소리가 울리고, 아래에서는 길목을 차단하고 있었다.

"사이먼, 우리는 끝장이야." 라파엘이 숨을 헐떡이며 말했다. 뒤를 돌아볼 겨를도 없었으니. 첫 번째 그림자가 낮은 자세로 다가오며 단검을 내리꽂았다. 슉—!

이에, 사이먼은 재빨리 허리를 틀며 피하며, 동시에 계단 난간에 걸려 있던 황동 촛대를 낚아채 휙~ 휘둘렀다. 쾅!- 촛대가 요원의 옆머리를 때리자, 사방으로 피가 튀고, 비틀거리며 주저앉았다. 그러나 바로 뒤에서 두 번째 요원이 또 접근하고 있었다. 사이먼은 다시 몸을 360도 회전하며 촛대의 날카로운 가장자리로 상대의 팔목을 후려쳤다. "크윽—!"

그림자의 손에서 단검이 떨어지는 순간, 사이먼은 발을 뻗어 바닥에 있던 성경책을 차올렸다. 퍽!- 책은 요원의 턱을 강타하며 놈의 머리가 뒤로 젖혀졌다. 사이먼은 그 틈을 놓치지 않았다. 떨어진 단검을 주운 뒤, 그놈의 허벅지에 꽂았다. 쓱—! 요원이 비명을 지르며 쓰러졌다.

끝도 없었다. 한 놈을 쓰러뜨리면, 세 명이 동시에 덮쳐왔다. "젠장."

사이먼은 노쇠한 라파엘을 잡아끌며 계단을 뛰어내렸다. 3층, 2층, 1층까지 쏜살같이 내려오면서도, 그들은 끊임없이 따라붙었다. 마침내, 1층 로비. 의식이 진행되던 세례 탁자가 놓여있었고, 사이먼은 순간, 그 위로 뛰어올랐다. "라파엘, 먼저가!" 그때, 요원 하나가 사이먼에게 표창을 던졌다. 휘익–! 사이먼은 본능적으로 손을 뻗어 성배를 움켜쥐었고, 쿡!- 표창을 막음과 동시에, 그 성배로 네메시스 암살자 광대뼈를 내리쳤다. 이제, 세례식 탁자를 둘러싸고 있는 나머지 요원들이 포위망을 완전히 좁혀오는 중이었다.

사이먼은 벽에 걸려 있는 방패를 집어 들었다. 먼저 뛰어가며, 뒤를 돌아본 라파엘, "오, 주여…"

쾅!- 방패를 앞으로 내밀며 신속히 전진하자, 두 명이 그대로 날아가며, 기둥에 부딪힌 요원들이 비틀거렸고, 그 틈을 타 사이먼은 재빨리 라파엘을 뒤따랐다. "너… 언제부터 이렇게 싸웠지?" 라파엘이 숨을 몰아쉬며 물었다.

"대답할 시간 없어."

사이먼은 힘들어하는 라파엘을 잡아끌며 지하 1층, 땅굴 입구 쪽으로 뛰어갔다. 흑요석 문이 땅으로 꺼졌던 그곳.

"저기! 땅굴이 코앞이야!" 라파엘의 외치자, 사이먼은 곧바로 고개를 들었다. 보였다. 저 앞, 어둠 속에 숨은 탈출구.

그때, 암살 요원 몇 명이 땅굴 입구를 향해 전속력으로 달려들었다. 망설일 시간이 없었다. 사이먼은 두 발로 계단 벽을 힘껏 차올랐고, 몸을 공중으로 띄운 뒤 벽을 딛고 방향을 바꾸며, 세 명의 요원이 서 있는 곳으로 방패를 던졌다. 그 순간, 라파엘이 먼저 몸을 던져 땅굴 안으로 사라졌고, 사이먼도 뒤따라 뛰어들려던 찰나— 콰아아앙! 엄청난 폭음과 함께 한쪽 벽이 부서져 내렸다. 먼지와 파편이 사방으로 튀었고, 무언가가 무너지는 굉음이 공간을 뒤흔들어놓았다.

마침내, 흑요석 입구에 다다르자 그들의 앞에는… 또 다른 그림자가 서 있었다. 수십 명의 사람이었고, 초록색 옷을 입은 자들. -표정에는 두려움이 없었다. 오히려… 기묘한 침착함과 살기가 뒤섞인 얼굴을 지닌 그들은 일렬로 서서 우리를 보내주고, 네메시스 요원들을 막아서기 시작했다.

“너희들은 뭐야!” 네메시스 그림자가 소리치며, 또 다른 전투가 이어졌다. 초록색 옷을 입은 자들은 마치 훈련된 병사들처럼 일사불란하게 움직이더니, 한 명이 손바닥을 펼치며, 검은 요원의 팔목을 잡아 꺾었다. 동시에 다른 한 명은 단검을 빼앗아 목덜미에 찔러 넣었다. “크…!” 팔목이 꺾이며, 뼈가 으스러지는 소리, 단검이 살을 뚫고 들어가는 소리, 피가 바닥에 떨어지는 축축한 소리….

“사이먼! 빨리 와!” 라파엘의 목소리가 멀리서 들려왔다. “대체 저들은… 누구지? 암살 요원을 상대로 이렇게까지 싸울 수 있는 세력이 있었던 건가?”

라파엘이 다시 크게 외쳤다. “망설이지 마! 지금 아니면 못 빠져나가!” 드디어, 사이먼도 땅굴 안으로 몸을 힘껏 던졌고 마지막으로 고개를 돌려 그들을 바라봤다. 피로 물든 전장과 죽어가는 네메시스 요원들. 또… 초록색 옷을 입은 자들의 화려한 격투술. 그 순간, 초록색 옷을 입은, 한 사내도 천천히 고개를 돌려 사이먼을 바라보더니, 잇몸을 내보이며 환한 미소를 지었다. "대체… 저들은 누구인가?"

하염없이 앞만 보고 내달렸다. 엎치락뒤치락 뛰어가던 라파엘과 사이먼. "...너 도대체 정체가 뭐냐? 그리고, 방금 그놈들은 누구야?"

"아까 그들의 움직임. 내가 사용하는 전투 기술과… 너무도 비슷했어. 마치 오래전부터 훈련된 것처럼, 자연스럽고 유기적인 동작. 단 한 치의 낭비도 없는 효율성."

사이먼의 몸과 손등에는 그들의 피가 이리저리 튀어 있었다. 네메시스 요원의 것. 아직 미처 마르지 않은, 뜨거운 흔적. 뛰고 있던 그는 얼룩진 손바닥을 내보이며, 피식 웃었다.

그 모습을 본 라파엘이 인상을 찌푸리니, 사이먼은 단순히 "느낌이 그래."

라파엘은 아직도 미심쩍다는 듯 눈썹을 찌푸렸지만, 더 묻지는 않았다. 한편, 그 사이에도 땅굴은 끝없이 이어졌다. 거대한 짐승의 창자 속을 달리는 듯한 기분. 축축한 공기가 목구멍을 조였다. 잠시 멈춰선 라파엘이 숨을 헐떡이며, 다시 입을 열었다. "그나저나… 이해가 안 되네. 대체 싸움을 이렇게 잘하지?"

"나?" 그는 잠깐 뜸을 들였다. "그냥… 고아원 출신 청소부야."

라파엘이 코웃음을 쳤다. "그럴 리가 있나."

사이먼은 바닥에 털썩 주저앉았다. 축축한 흙이 손바닥에 스며들었고 온몸에 땀이 비 오는 듯 흘러내렸다. 심지어 폐는 불타는 듯했다. 라파엘도 거칠게 숨을 몰아쉬며 벽에 등을 기댔다. 손목의 시계를 흘깃 보더니 이마를 훔치며, "이제 사도 궁전도, 성 베드로 성당도 접근이 어렵겠어."

사이먼은 한숨을 내쉬며 머리를 뒤로 기댔다. 차가운 진흙이 피부를 스치는 느낌은 조금이나마 정신을 맑게 하는 것만 같았다. "젠장, 그럼 어쩌지?"

라파엘이 엉덩이를 털며 일어섰다. "다른 장소로 이동해야 해. 여긴 너무 위험해."

사이먼은 그를 올려다보았다. "근데 5층엔 뭐가 있는지 알아?"

"…나도 정확히는 몰라. 도면만 봤을 뿐이야."

"도대체 5층은 뭐 하는 곳이었을까." 그는 혼잣말처럼 중얼거렸다. "그래서, 이제 어디로 가지?"

"이탈리아는 위험해. 바티칸은 더더욱. 런던으로 가자."

사이먼이 눈썹을 찡그렸다. "런던? 거긴 또 뭐가 있는데?"

"네메시스 지부가 있지. 그리고, 과거엔… 프리메이슨 본부였어."

사이먼의 머릿속 수많은 퍼즐 조각이 흩어졌다가 빠르게 다시 맞춰졌다. "그럼… 바티칸이 네메시스 본부야?"

라파엘은 고개를 저었다. "아니. 여긴 네메시스의 핵심 지부일 뿐이야."

"그럼 본부는?"

"아시아 어딘가에 있을 거야. 정확히는 몰라."

사이먼은 잠시 생각에 잠겼다. 네메시스의 본부가 바티칸도, 런던도 아니라면… 아시아. 도대체 어디에 있는 걸까?

라파엘이 사이먼의 손목을 '탁' 쳤다. "움직이자!"

그도 곧바로 몸을 일으켰다. 숨을 한 번 몰아쉬고는 다시 어둠 속으로 뛰어들었다.

어느덧, 두 사람은 빌라 주스티니아니 지하 도서관으로 연결된 비밀 입구 앞에 서 있었다. 축축한 벽돌을 타고 흘러내리는 지하수, 금방이라도 무너질 듯한 천장. 오래된 공간에서는 고대 문서의 독특한 냄새가 다시 풍겨왔다.

"거기 독성물질 있으니, 돌아서 가야 해"

"아 맞다. 빨리 올라가자. 시간 없어."

라파엘이 한 걸음 내딛다가 문득 멈춰 섰다. "잠깐, 영국 의회 도면부터 확인하고 가자. 런던 가서, 무턱대고 돌아다닐 수는 없잖아."

사이먼은 고개를 갸우뚱하며, "여기서 대출할 수 있어?"

"필요 없어. 10년 동안 관련 서류는 다 읽어봤고, 한 번만 다시 보면 기억나."

사이먼은 반신반의하며 그를 바라보다가, 주머니에서 핸드폰을 꺼냈다. "그래도 혹시 모르니까 사진 찍어두는 게 낫지 않을까?" 주머니에서 핸드폰을 꺼내, 전원을 길게 눌러봤지만 깜깜무소식이었다. "젠장, 배터리가 다 됐군." 그는 괜히 핸드폰을 손바닥에 툭툭 쳤다.

"괜찮아. 이제 내 머릿속에 전부 박혀 있어."

나선 계단을 타고 올라갈 때마다 삐걱거리는 소리와 함께, 먼지가 풀풀 날리던 와중 "세상에, 도대체 어디 갔다 오신 거예요?" 그때 만난, 그 사서였다. 그녀는 팔짱을 끼고 다가오더니, 인상을 잔뜩 찌푸렸다. "한참 동안 안 보이시길래 걱정했어요. 지하에도 내려가 봤는데…. 없더군요. 무슨 일이 있었던 거죠?"

사이먼은 숨을 고르며 짧게 웃었다. "죄송합니다. 중요한 일이 있었어요." 그는 땀을 닦으며 덧붙였다. "지금은 설명할 시간이 없습니다. 혹시…. 부탁 하나만 들어주실 수 있을까요?"

사서는 여전히 의심스러운 눈빛이었지만, 고개를 끄덕였다.

"런던으로 가는 비행기 표 두 장을 예약해 주실 수 있을까요?"

눈이 동그랗게 커진 사서가 팔짱을 풀더니, "네? 지금 당장요?"

"네. 현금으로 팁까지 드리겠습니다."

사이먼은 코트 안쪽에서 현금을 꺼내 그녀에게 건넸다. 사서는 망설이는 듯했지만, 이내 돈을 확인하고는 노트북을 켰다. 키보드를 두드리는 소리가 도서관의 고요함을 일깨웠다. "2시간 후, 출발하는 비행기예요."

사이먼은 모니터를 확인하며, 좌석 번호까지 빠르게 눈에 담았다. "감사합니다. 정말 감사해요." 라파엘도 뒤에서 고개를 끄덕이며 인사했다. 그러자, 그녀는 여전히 무언가 묻고 싶은 눈치였지만, 이내 입을 다물었다.

공항으로 향하는 길. 그들은 바티칸의 어두운 심장부에서 빠져나왔다. 차츰 도서관의 불빛이 멀어져 가며, 이탈리아의 마지막 밤이 그렇게 지나가고 있었다.

이탈리아 피우미치노 공항에서 이륙한 비행기는 순조롭게 영국 런던을 향해 날아갔다. 창밖으로 끝없이 펼쳐진 구름이 솜털처럼 부드럽게 일렁였다. 사이먼은 좌석에서 몸을 비틀어, 기내 전원 콘센트를 찾더니, 핸드폰 충전기를 꽂으려 했다. 이를 본 라파엘은 곧장 그의 손목을 붙잡았다. "멍청한 짓 하지 마!"

사이먼은 눈썹을 찌푸리며 그를 쳐다봤다. "뭐?"

"네 핸드폰, 계속 켜두면 위치 추적당하기 딱 좋아. 설마 네메시스를 무시하는 건 아니겠지?"

사이먼은 잠시 망설이다가 충전기를 뽑았다. 그리고 라파엘은 창 밖을 가리켰다. "지금 우리가 향하는 곳이 어디라고 생각해? 땅굴에서 잠시 설명했지만, 네메시스가 프리메이슨을 흡수하기 전에 영국 의회는 그들의 본부였어."

사이먼의 눈빛이 날카로워졌다. "왜 하필 의회였지?"

"프리메이슨은 원래부터 법과 정치, 사회 시스템을 설계한 집단이었어. 민주주의, 자유시장 경제, 근대적인 법체계까지… 우리가 당연하게 받아들이는 것들이 사실은 그들의 작품이지. 네메시스는 그 영향력을 흡수한 거야. 프리메이슨이 남긴 건축물, 조직 구조, 정치 네트워크… 모든 걸 가져갔지. 그리고 더하면 더하지. 너도 봤잖아."

라파엘이 혼자 고개를 끄덕이더니, "웨스트민스터 궁은 면적만 해도 축구장 16개 크기고, 방이 1,100개, 복도 길이가 3km나 되지. 미로 같은 구조에, 감시 시스템이 촘촘하게 깔려 있어. 공식적으로는 관광객도 들어갈 수 있지만, 우리가 가야 할 곳은 사람들이 찾을 수 없는 그들만의 공간이야."

사이먼은 비행기 엔진 소리에 묻힐 정도로 조용히 물었다. "영국 의회는 일반인도 쉽게 드나들 수 있는 곳인가?"

라파엘은 기내 커피를 한 모금 마시고는 고개를 끄덕였다. "하원과 상원 갤러리는 누구나 참관할 수 있어. 관광객도 많고. 하지만 중요한 건 그 안에 숨겨진 공간들이지."

"하지만 결국, 이곳도 그들의 지부였다는 거군." 창밖을 바라보았다. 런던 상공이 가까워지고 있었다. 라파엘은 아무 말 없이 마지막 남은 커피를 마저 비웠다.

히스로 공항 (London Heathrow Airport), 런던,

비행기 바퀴가 활주로에 살포시 닿았다. 창밖으로는 희뿌연 런던의 하늘이 보였고, 짙은 회색 구름이 짙으면서도 낮게 깔려있었다.

사이먼과 라파엘은 입국 심사를 빠르게 통과한 후, 공항을 빠져나왔다. 택시 승차장에는 특유의 검은색 런던 블랙 캡들이 줄지어 서 있었다. 한 대를 골라 타자, 기사 아저씨가 푸근한 런던 억양으로 물었다. "어디로 모실까요?"

라파엘이 자연스럽게 대답했다. "웨스트민스터 궁으로요."

택시는 서서히 런던 도심을 향해 움직였고, 창밖으로 바쁘게 움직이는 사람들, 쏟아지는 자동차 불빛이 뒤섞여 있었다. 그리고 마침내, 템스강이 보이기 시작하자, 웅장한 의회의 모습이 드러났다. 붉은 벽돌 건물과 빅벤의 실루엣도 서서히 보이니, 사이먼은 택시 창문에 손을 기댄 채 뭐라 뭐라 중얼거렸다. 그때 기사 아저씨가 헛기침하며 우리를 쳐다봤다. "자, 손님들. 다 왔습니다. 혹시 관광 오신 거요? 의회 건물은 저쪽 입구로 가면 됩니다. 안에 들어가려면 보안 검색을 통과해야 하고, 특정 구역은 일반인은 못 들어가니까 조심하쇼."

라파엘은 미소를 지으며 가볍게 고개를 끄덕였다. "관광? 뭐, 비슷한 거죠." 그는 사이먼의 어깨를 가볍게 두드리며 택시에서 내렸다. 두 사람은 조용히 차 문을 닫고, 천천히 웨스트민스터 궁을 올려다보았다.

빅벤의 시계는 오후 한 시를 가리켰고, 하늘은 아직도 잔뜩 찌푸린 채, 가느다란 빗방울이 바람에 섞여 흩날리고 있었다.

관광객들은 주로 웨스트민스터 홀과 하원(House of Commons), 상원(House of Lords)을 견학하지만, 출입이 통제되는 구역도 많았다. 라파엘과 사이먼은 입구에서 몸수색을 포함하여, 보안 검색대를 통과했다. 그리고 마치 관광객인 것처럼 웨스트민스터 홀로 걸어 들어갔다. 고딕 리바이벌 양식으로 지어진 내부는 웅장하고도 엄숙한 분위기를 자아냈다. 가장 인상적인 요소를 꼽으라면, 거대한 천장 구조였다. 하늘을 떠받드는 듯한 오크 목재의 아치형 보(Hammerbeam Roof)가 촘촘히 이어져 있었고, 각각의 보마다 중세 장인들이 정교하게 조각한 천사가 날개를 한껏 펼친 모습이었다. 벽면에는 역대 군주들의 문장과 방패 모양의 부조들이 줄지어 새겨져 있었으며, 스테인드글라스 창문으로 이따금 빛이 스며들 때면, 은은한 색채로 물들였다. 조금 더 과장하자면, 오래된 전설 속 수호자들이 이곳을 지켜보는 듯했다.

바닥은 매끄러운 석회암과 대리석 패턴으로 이루어져 있었고, 곳곳에는 과거 이곳에서 열린 역사를 기념하는 청동 명판들이 박혀 있었다. 홀을 따라 걸으면, 수백 년간의 발걸음이 새겨진 돌바닥이 구두 바닥과 마찰을 일으키며, 은은한 소리가 미세하게 울렸다.

라파엘은 낮은 목소리로 속삭였다. "우리가 가야 할 곳은 하원 아래, 가이 포크스 지하 감옥(Guy Fawkes Cellar) 이야."

"아. 혹시 거기. 폭탄 테러 사건으로 폐쇄된 곳 아니야?" 사이먼이 되물었다.

"맞아. 하지만 존재 자체가 사라진 건 아니지. 문제는, 공식적인 출입구가 없다는 거야."

사이먼은 궁 내부를 둘러보았다. 관광객들과 가이드가 삼삼오오 모여 설명을 듣고 있었으며, 경비원들이 자리를 지키며 근무하는 중이었다. 사실, 경계를 서기보다는 루틴을 반복하는 느낌이었다.

"그러면… 우리가 들어갈 방법은?"

"수수께끼를 풀어야지."

"궁에는 숨겨진 문이 많아. 영국 의회 건물은 불타서 소실된 적이 많았거든. 그때마다 새 건물을 덧대고, 복도를 이리저리 엮었지. 덕분에 지하에는 비밀 통로가 많을 거야."

사이먼은 팔짱을 끼고 고개를 끄덕였다. "좋아, 그런데 그 통로가 어디 있는지 아는 거야?"

라파엘은 주위를 둘러보다가 웨스트민스터 홀의 한쪽 벽면을 가리켰다. "저기."

사이먼이 시선을 따라갔다. 벽에는 한 남자의 초상화가 걸려 있었다. 찰스 1세(Charles I).

"찰스 1세?"

"왕권신수설을 주장하다가 반역죄로 처형당한 왕이지. 그런데 이 사람이 처형당하기 직전에 했던 말이 있어."

라파엘은 초상화 아래 작은 명판을 가리켰다. 거기에는 이렇게 적혀 있었다.

"나는 이곳에서 죽지만, 내 길은 아직 끝나지 않았다."

사이먼은 눈썹을 찌푸렸다. "그래서?"

라파엘은 벽을 손가락으로 톡톡 두드리더니, "여기가 맞을 텐데?"

사이먼은 라파엘을 바라봤다. "설마, 여기 뒤에 무슨 길이라도 있다는 거야?"

라파엘은 그의 말을 무시한 채, 다시 손가락으로 벽을 툭툭 두드렸다. 둔탁한 소리. 그러나 자세히 들어보면, 어떤 부분은 다르게 울렸다. 그 순간, 계단 위쪽에서 누군가의 발소리가 들려왔다. 사이먼은 몸을 움츠렸고, 라파엘 역시 몸을 벽면으로 기울였다.

웨스트민스터 홀을 순찰하는 경비병이었다. 두 사람은 숨을 죽인 채, 초상화 앞으로 바짝 다가섰다. 경비병은 무표정한 얼굴로 홀을 가로질러 천천히 걸었고, 그가 걸음을 멈추고 둘을 흘끗 쳐다보는 순간, 사이먼은 아무렇지도 않은 척하며 초상화를 올려다보았다.

"대단한 예술 작품이지 않습니까?"

"네, 아주 멋진 그림이네요. 조명이 딱 좋습니다."

경비병은 의심스러운 듯 두 사람을 한번 훑어보더니, 별말 없이 다시 발걸음을 옮겼다. 그가 멀어지는 걸 확인하자, 라파엘이 낮은 목소리로 속삭였다. "시간 없어." 그러고는 한쪽 벽에 붙은 초롱을 손으로 살짝 비틀었다. 초상화가 살며시 좌우로 흔들리더니 딸깍 소리가 났다.

사이먼이 조심스럽게 초상화를 밀어 올리자, 그 뒤에는 오래된 돌벽이 드러났다.

"열쇠가 필요할 줄 알았는데, 다행히 자동이네." 라파엘이 작게 웃으며, 마저 벽을 힘껏 밀었다. 바람이 슉— 빠지는 소리와 함께, 돌문은 천천히 통로 쪽으로 열리기 시작했다.

"여기가…"

"하원 아래, 감춰진 공간으로 가는 길."

둘은 돌벽을 다시 닫았고, 라파엘은 손전등을 켜며 안쪽을 가리켰다. "어서 들어가자. 웨스트민스터 홀에서 하원까지는 보통 걸어서 5분. 하지만 그건 정상적인 길을 이용했을 때 얘기고."

사이먼이 벽을 쓰다듬으며 물었다. "그럼 이 길을 이용하면?"

"이 길을 따라가면 1분도 안 걸려. 문제는, 200년 넘게 아무도 사용하지 않았다는 거지."

"사용하지 않았다고?"

"최소한 공식적으로는." 라파엘이 천천히 걸음을 옮기며 덧붙였다. "하지만 이런 통로는 사라지지 않아. 권력층은 언제나 비밀을 유지할 길을 남겨두니까."

좁고 축축한 통로는 오래된 벽돌이 층을 이루었다. 거미줄이 드리워져 있었고, 바닥에는 쥐의 사체와 바퀴벌레가 군데군데 모습을 드러냈다.

"여기 공기부터 다르네." 사이먼이 코를 찡그리며 말했다. "썩은 우유 냄새, 먼지, 그리고… 뭐랄까. 오래된 것들이 내뿜는 냄새?"

"습기 때문이야." 라파엘이 벽을 손으로 쓸어내리며 설명했다. "이곳은 원래 하원에서 탈출하기 위한 비상구였으니 말이야. 몇몇 의원들은 아직도 사용하지 않을까. 비밀 회동이라든가…"

사이먼이 피식 웃으며 말을 받았다. "불륜 같은 것도?"

"그렇지." 라파엘이 픽 웃었다. "17세기부터 지금까지, 이곳을 걸었던 사람들은 뭔가 숨기는 자들이었지. 어떤 사람들은 여기서 사라지기도 했고."

사이먼의 발길이 멈췄다. "사라졌다고?"

라파엘이 장난스러운 눈빛으로 사이먼을 쳐다보며 말했다. "실종 기록이 몇 건 있어. 물론 공식적으로는 사고로 처리됐지만."

사이먼은 헛웃음을 지으며 고개를 저었다. "제길, 무슨 전설의 고향 같은 소리 하네."

"농담이 아니라니까." 라파엘이 심각한 얼굴로 벽을 가리켰다. 거기에는 희미하게 새겨진 손톱자국 같이 긁힌 흔적이 있었다.

사이먼은 마른침을 삼키며, 손전등을 제대로 비추라고 몸짓했다. "이거… 정말이야?"

라파엘은 대답 대신, 씩 웃으며 다시 앞장섰다. 통로는 점점 좁아졌고, 한쪽 벽이 무너져 내린 곳도 있었다. 두 사람은 신중하게 발을 디디며 조심스럽게 나아갔다. 그때였다. "덜컹."

"뭐야, 들었어?" 사이먼이 속삭였다.

라파엘도 숨을 죽이고 귀를 기울였다. 어둠 속에서 또 한 번 덜컹 - 하는 소리가 들려왔다. "이거 우리 말고도 누가 있다는 뜻인데." 라파엘이 목소리를 낮추었다. 그리고 손전등을 조심스럽게 주위를 비추자, 무너진 벽 너머 낡은 철문이 희미하게 흔들리고 있었다.

"바람 때문에 그런 거겠지?" 라파엘이 애써 태연한 척 말했지만, 목소리가 약간 떨렸다.

사이먼은 눈을 가늘게 뜨며, "확인해볼 필요가 있겠어."

"지금은 그냥 가자." 라파엘이 한숨을 쉬며 투덜댔다. "왜 항상 문제를 만드는 거야?"

하지만, 사이먼은 철문을 향해 걸어갔다. "딥스테이트의 비밀을 파헤치겠다고 했잖아? 각오했으면, 너도 강심장이 될 필요가 있어."

라파엘은 속으로 욕을 한 번 내뱉고, 사이먼을 따라갔다. 철문을 밀어 열자, 그 안에는 완전히 폐허가 된 작은 방이 있었다. 벽에는 오래된 초자(草字)로 무언가 휘갈겨져 있었고, 바닥에는 바싹 마른 인간 뼛조각 같은 것이 널브러져 있었다. "미친…" 사이먼이 뒤로 한 걸음 물러났다.

라파엘이 벽의 글씨를 유심히 살펴보더니, 의미심장한 목소리로 말했다. "나는 이곳에서 죽지만, 내 길은 아직 끝나지 않았다."

찰스 1세의 초상화 아래 쓰여 있던 것과 똑같은 문장이었다.

"하지만, 여긴 감옥도 아니고, 찰스 1세가 죽은 곳도 아니잖아."

라파엘은 침착하게 주위를 살폈다. "이곳이 그의 운명과 연결된 장소일까?"

사이먼이 발끝으로 바닥의 먼지를 걷어차자 뼛조각 하나가 미끄러져 나왔다. 라파엘이 손전등을 비추자, 바닥에는 크고 작은 뼈들이 흩어져 있었다. 그리고 그 한가운데, 기묘한 문양을 지닌 금 조각이 모습을 드러냈다. 여기도 프리메이슨의 상징, 컴퍼스와 직각자.

그러나 그것만이 아니었다. 직각자와 컴퍼스 아래, 작은 원형 장식이 달려 있었고, 그 안에는 기묘한 눈이 새겨져 있었다. 전시안(All-Seeing Eye).

"이건… 이집트 문화와 연관된 거잖아."

라파엘이 그 상징을 두 손가락으로 조심스럽게 집어 들었다. "맞아. 전시안은 오시리스의 눈이기도 하지. 하지만 프리메이슨의 핵심 상징이기도 하고."

사이먼은 인상을 찌푸렸다. "근데, 이게 찰스 1세랑 무슨 관계지?"

라파엘이 천천히 읊조렸다. "찰스 1세는 비밀리에 프리메이슨을 지원했던 왕 중 하나였나 봐."

"그래서?"

그는 뼈 더미 속에서 조금 다른 형태의 상징을 집어 들었다.

"이건…" 사이먼이 가까이 다가와 확인해보니, 피라미드와 뱀 모양이 뒤섞인 문양.

"일루미나티."

사이먼의 동공이 커다래지더니, "이게… 서로 관계가 있다는 증거야?"

"일루미나티는 프리메이슨의 행동대원들이었잖아. 프리메이슨이 표면적으로는 학문과 지식, 건축술을 퍼뜨리는 조직이었다면, 일루미나티는 그 어둠 속에서 비밀리에 움직이며 실행자 역할을 했지."

사이먼은 뼛조각을 내려다보았고, "그럼 여기서 죽은 자들도… 그들 중 하나였던 거야?"

라파엘은 벽의 문장을 다시 한번 노려보았다. "나는 이곳에서 죽지만, 내 길은 아직 끝나지 않았다." 그리고 전시안은 여기, 런던에서도 그들을 끊임없이 지켜보고 있었다.

"그만 가자."

재촉하는 라파엘을 따라, 사이먼도 발걸음을 옮겼다. 두 사람이 다시 비밀 통로로 들어서서 조금 더 걸음을 옮기자, 드디어 지하로 가는 길이 나왔다. 13개의 참으로 이루어진 좁고 긴 계단이었다. 첫 번째 계단참엔 체커보드 패턴—검은색과 흰색이 교차하는 바닥이 깔려있었다. 그것은 마치 이곳을 오르는 자들에게 경고라도 하듯,

선과 악의 경계를 묻는 것 같았다. 두 번째 계단참에는 해골과 뼈 두 개가 교차한 문양이 새겨져 있었다. 아까 철문에서 보았던 모습과 비슷했다. 그래서인지, 사이먼은 "죽음을 두려워하지 말라."라고 괜히 중얼거렸다.

셋째 참에는 컴퍼스와 직각자가 새겨진 문장이 보였다. 넷째, 다섯째, 여섯째… 계단을 내려갈수록 공기는 더욱 축축하고 무거워졌다. 마침내 그들이 도착한 곳은 하원 지하실의 문 앞. 한때 여기는 고문실이었던 공간이었다.

사이먼이 슬그머니 손잡이를 돌리자, 라파엘이 비추는 플래시에 처음으로 보인 것은 벽면에 새겨진 커다란 'G'자였다. 이어서 솔로몬의 기둥이 그려져 있었고, Boaz(힘)와 Jachin(확립)이라는 글자가 두 개의 기둥에 쓰여 있었다. 그리고 그 기둥 사이에는 올빼미 그림이 듬성듬성 배치되어 있었다. 그림인데도 올빼미 눈은 수정처럼 빛나며, 꼭 살아있는 것만 같았다. 그때, 어디선가 새 울음소리가 이곳을 메아리쳤다.

설마, 그림이 내는 소리인지 알고 돌아봤으나, 그렇지 않았다. 벽의 그림자가 꿈틀대며 형태를 바꾸더니, 마치 과거 이곳에서 고통받던 영혼들의 흐릿한 형체가 나타나는 듯했다. 사이먼은 숨을 꼴딱 삼켰고, 벽의 그림자는 지금도 변하고 있었다. 마치 이곳에서 벌어졌던 사건들을 보여주려는 듯했다. 고문을 당하는 남자의 실루엣, 가면을 쓴 자들이 나란히 앉아 정보를 얻는 모습, 바닥에 흩어진 검붉은 흔적…

라파엘이 조용히 그의 팔을 잡아당겼다. 이에, 사이먼은 성경 구절을 읊조리며 놀란 가슴을 진정시키려 했다. "의를 위하여 박해를 받는 자는 복이 있나니 천국이 그들의 것임이라. 기뻐하고 즐거워하라. 하늘에서 너희의 상이 큼이라. 너희 전에 있던 선지자들도 이같이 박해하였느니라. 두려워하지 말라. 내가 너를 굳세게 하리라. 참으로 너를 도와주리라. 참으로 나의 의로운 오른손으로 너를 붙들리라"

구절을 계속 되뇌며 조금 더 걸어가자, 이곳의 타일도 검은색과 흰색이 교차하는 무늬가 흐릿하게 빛을 머금었다. 가끔은 가늘고 붉은 선들이 지나가듯 얽혀 있었고, 때로는 무작위적인 것이 아니라 어떤 기하학적 원리를 따르고 있음을 깨달을 수 있었다. 저 멀리 보이는, 바닥 중앙에는 다섯 각으로 구성된 별(펜타 그램)도 그려져 있었다. 천장에 손전등을 비추어보니, 커다란 태양과 달의 문양이 있었다. 사이먼이 "빛과 어둠을 초월한 세계라는 건가."라고 라파엘에게 물었으나, 그의 시선은 이미 방 한쪽에 놓인 검은 큐브에 고정되어 있었다. 매끈하고 차가운 표면은 빛을 흡수하는 듯 어두웠고, 어떻게 보면 토성(Saturn)을 흉내 낸 듯 보였다. 그 옆으로는 바포메트 조각상이 앉아 있었다. 뿔 달린 머리, 한 손은 위를 가리키고 다른 손은 아래를 가리키는 자세. 눈이 반짝이며 이곳에 들어온 이들을 평가하는 느낌마저 들었다.

라파엘이 조각상으로 한 걸음 내딛자, 바닥이 미세하게 울렸다. 무언가가 움직이고 있었다. 그리고 벽 일부가 회전하더니 또 다른 방이 드러났다. 방 안에는 수십 개의 해골이 진열된 장식장이 있었고, 해골마다 숫자와 기호가 새겨져 있었다. 특히, 한 해골에는 검붉은 아카시아 나뭇가지가 엮여 있었다. 그리고 장식장 바로 옆으로는 푸른 천이 덮인 제단이 있었는데, 낡은 가죽으로 덮인 책이 한 권 놓여있었다.

사이먼이 라파엘을 앞지르며, 그 책을 열어보았다. 첫 장에는 불타는 횃불을 든 자유의 여신상이 있었고, 다음 장에는 뱀이 여신상을 휘감고 있었다. 또 다음 장을 넘기니, 숫자 '13'과 '33'이 크게 적혀 있었다.

"이건 우연이 아니야."

그리고 그다음 장. "당신이, 이 책을 읽고 있다면, 프리메이슨일 것이다." 사이먼은 계속해서 책 장을 넘겼고, 라파엘은 그의 어깨너머로 손전등을 비추며, 같이 글을 읽어 내려갔다. '1605년, 우리 결사대는 의회를 폭파하려 했다. 그리하여, 현재는 폐쇄됐지만, 프리메이슨은 과거, 로마 시절, 유대인 디아스포라를 만들어 권력을 잡은 기득권층이며, 이들의 권력이 더 공고히 된 시기는 1717년 영국에 공식적인 최초 본부를 세우면서였다. 이 순간부터, 프리메이슨은 유럽뿐 아니라 전 세계에 영향을 끼치는 비밀 조직으로 성장했다.' 사이먼이 입 밖으로 천천히 문장을 내뱉자, 라파엘은 팔짱을 낀 채 천장 쪽으로 시선을 돌렸다. 그가 속으로 무슨 생각을 하는지는 몰라도, 얼굴은 어두워 보였다.

사이먼은 또 다음 장으로 넘겼다. "이 조직의 회원들은 예외 없이 각 분야에서 최고였다. 예술가, 자본가, 상업 금융 분야의 핵심인사들. 당시 유럽의 거대한 은행을 조종했던 금융가들도 있었고, 음악과 미술을 통해 대중을 통제했던 예술가들도 많았다. 그들은 혁명을 계획하고, 국가를 세우며, 역사를 조작했다. 그들 중 일부는 이렇게 불렸다."

이 책에는 인물에 대한 실명까지는 드러내지 않았다. 대신 직책과 역할이 빼곡하게 나열되어 있었다.

"건축가." 그는 18세기 유럽의 대형 성당과 수도원 건축을 맡았다. 하지만 그가 설계한 건물 중 일부는 단순한 예배당이 아니었다. 그것은 신비로운 숫자와 상징이 새겨진, 은밀한 모임의 장소였다.

"음유시인." 그는 당시 유럽을 뒤흔들었던 예술가였다. 그의 작품은 단순한 시가 아니었으며, 대중의 감정을 움직이고 통제하기 위한 도구였다. 그의 시는 비밀 암호와 상징이 늘 숨겨져 있었다.

"연금술사." 그의 연구는 금 제조가 아니었다. 그는 유럽 왕실과 협력하며 특정 가문의 혈통을 보존하는 실험을 진행했다.

"검은 장부의 관리자." 그는 유럽에서 가장 큰 무역 회사 중 하나를 운영하며, 수십 년간 유럽 경제를 움직였다. 그는 공식적인 기록에는 존재하지 않는, 막대한 금액의 자금을 조달하는 역할을 맡았다.

책을 넘길 때마다 그들의 활동이 적혀 있었고, 사이먼은 무언가에 홀린 듯 계속해서 읽어나갔다. "그들은 평범한 구성원이 아니었다. 개돼지에 가까운 대중들은 그들의 역사를 배우지 않을 것이다. 다만, 그들은 실제 역사를 설계한 자들이었다."

사이먼은 가만히 책을 내려다보았다. 이 책을 읽는 순간, 그들도 역시, 역사의 조작을 목격하는 자가 되어가는 중이었다. 그러다, 사이먼의 손이 덜덜 떨렸다. 책을 떨어뜨릴 것 같아, 라파엘이 그의 왼손을 지그시 잡아주었다. 하지만, 정작 오른손으로 책장을 넘길 때, 바스락거리는 소리는 감출 수 없었다. 오랜 세월 동안 자신이 펼쳐지기를 기다려왔다는 듯, 글자들은 어둠 속에서도 은은한 광채를 뿜으며 사이먼의 눈에 확연히 들어왔다. "프리메이슨의 혈통은 결코, 끊기지 않는다. 우리의 사명은 피로 이어진다."

그 밑으로 계보가 쭉 적혀 있었다. 그는 손가락을 따라가며 조심스럽게 한 글자씩 읽었다.

솔로몬 그레이.

그 아래, 또 다른 이름,

니콜라스 그레이.

벤자민 그레이.

엘리엇 그레이.

그리고…

사이먼 그레이.

숨이 가빠졌고, 손끝이 차가워졌다. "이건… 농담이겠지?" 그러나, 오래된 잉크는 종이에 단단히 적혀 있었고, 수십 년 전부터 그의 손이 이곳에 닿기를 기다렸다는 듯, 변함없는 존재감을 뿜어냈다. 그는 손을 들어 자신의 이름을 더듬었다. 옆에서 책을 들여다보고 있던 라파엘도 어지간히 놀란 눈치였다.

"진짜… 네가…"

사이먼은 입술을 꽉 깨물었고, 머릿속에서는 뭔가가 뒤바뀌었다.

지금까지 비판해왔던 이름, 프리메이슨.

그들이 저질렀던 어둠, 그들이 설계한 세계, 그가 쫓아다녔던 모든 진실의 뿌리들이 지금 이 순간, 자신의 피로 이어지고 있다는 사실. 추측은 했을지라도 한동안, 그는 인정하고 싶지 않았다. 그래서인지 몇 번이고 고개를 저었다. 하지만… 책은, 기록은, 핏줄은 그의 존재를 명확히 증명하고 있었다. 그는 프리메이슨이었다. 그것도 최후의 후손.

그는 다음 문장을 읽었다. "우리는 신을 대체할 것이다." 책을 덮고 숨을 몰아쉬었다. 부정할 수 없었다. 사이먼의 가문은 역사의 관찰자가 아니었다. 역사의 일부였고, 역사를 다시 써야 하는 사람이었다.

라파엘은 놀란 그를 진정시키며 말했다. "이제 슬슬 나가야겠어." 사이먼이 그 책을 들고 가려 하자, 라파엘은 그를 만류했다. "여기에 놓고 가는 게 좋겠어. 아직 네메시스가 여기까지는 발견하지 못한 것 같아. 그리고 여기에 보관된 이유가 있을 거야. 프리메이슨의 상징적 의미도 있을 테니."

라파엘은 이탈리아 도서관에서 봤던 도면을 떠올리며 상원 의장실로 가는 방법을 고민했다. 프리메이슨이 어떻게 네메시스에게 장악되었는지 알려면 그곳에 가야 했다. 그는 도면에 표시된 계단을 떠올리며, "왔던 통로로 되돌아가야 해."

그들은 비밀 통로를 거쳐, 찰스 1세의 초상화가 있는 입구로 돌아왔다. 그리고 라파엘은 빠르게 초상화를 밀어 원래 자리로 돌려놓았다. "자, 이제부터 조심해야 해. 이제부턴 비밀 통로도 없어. 사람들의 눈을 피해 움직여야 해."

둘은 신속히 홀을 빠져나왔다. 바닥에 깔린 카펫은 발소리를 죽일 수 있었지만, 대리석 벽과 높은 천장 아래 울리는 미세한 발소리까지 신경이 곤두섰다. 멀리서 의원들이 낮은 목소리로 대화를 나누는 소리까지 들려왔다.

"지금이야." 라파엘이 신호를 보냈다.

그들은 세인트 스티븐 홀로 향했다. 기둥이 늘어선 복도에는 웅장한 샹들리에가 낮게 걸려 있었다. 벽을 따라 조각된 부조들이 성스러운 순례자의 행렬처럼 길게 이어졌다. 그 순간, 오른쪽에서 신발 끌리는 소리가 들렸다. 경비원이었다. 그는 팔짱을 낀 채 지나가며 주변을 둘러보고 있었다. 사이먼과 라파엘은 순식간에 몸을 돌려 기둥 뒤로 몸을 숨겼다. 몇 초가 지났을까, 경비가 멀어지자 라파엘이 손짓했다. "가자."

다시 발걸음을 옮겼다. 복도 끝에서 한 무리의 의원들이 지나가고 있었다. 사이먼과 라파엘은 벽 쪽으로 몸을 붙이며 조용히 걸었다. 마치 오래전 이곳을 지나갔을 수많은 그림자처럼.

드디어 계단이 보였다. 길고 구불구불한 대리석 계단. 위에서 희미한 조명이 내려앉았고, 나선형으로 이어지는 난간은 마치 과거와 현재를 연결하는 듯했다. 사이먼이 난간 위에 손을 올리니, 차가운 촉감이 손바닥에 스며들었다.

"위로 가야 해." 라파엘이 속삭였다.

사이먼은 계단을 올려다보았다. 위로 이어지는 돌계단은 오래된 건물의 흔적처럼 마모되어 있었지만, 그 위에도 흔적이 남아 있었다. 마치 계급처럼 배열된 33개의 계단. 사이먼은 첫발을 내디디며 숫자를 세기 시작했다. 한 칸, 두 칸. 발이 닿을 때마다 대리석에서 미세한 마찰음이 일었다. 사이먼은 심장이 쿵쾅거리는 소리가 들킬까 봐 입술을 질끈 깨물었고, 다시 위를 올려다보니 계단참마다 새겨진 상징들이 희미하게 빛나고 있었다. 그가 계단을 절반쯤 올랐을 때, 벽에 새겨진 삼각형과 육각별 문양이 눈에 들어왔고, 삼각형은 날카로운 각을 이루며 위로 솟아 있었다. 그리고 그 중심에는 육각별이 자리 잡고 있었다. 마치 위로 갈수록 계급이 정해지는 듯한 구조.

"저 문양 봐." 사이먼이 속삭였다.

"계단을 오르는 자만이 의미를 이해할 수 있도록 설계된 거야."

몇 걸음 더 올라가자, 계단참 바닥에 로렐 월계관이 새겨진 원형 문양이 나타났다. 그것은 입구를 지키는 문양처럼, 계단 중앙에 장식되었다. 과거, 로마 황제들이 머리에 두르던 승리의 상징, 권력과 지배의 흔적…. 권력을 쥔 자들에게만 허용했던 표식이었다.

"여기서 내려가면 평범한 신하로 남지만, 계속 올라가면 황제가 된다는 뜻일까?"

마지막 계단을 밟자, 정면으로 보이는 벽에 독수리가 새겨져 있었다. 날개를 활짝 편 두 개의 머리는 서로 다른 방향을 바라보고 있었지만, 이곳마저도 머리 중앙에는 왕관이 떠 있었다. 바티칸에서 봤던 독수리와는 머리의 개수가 달랐다. 라파엘이 손끝으로 그 문양을 가리키며, "동서양을 지배하고, 세속과 영적인 힘을 동시에 장악하는 상징."

드디어, 복도 끝에 있는 상원 의장실이 보였다. "여기가 그곳이야." 두꺼운 참나무 문은 세월의 흔적을 한껏 머금고 있었고, 옆게 배치된 황금빛 테두리가 눈에 들어왔다. "경비가 없다는 건, 누군가 안에 있을 수도 있다는 뜻이야." 라파엘은 주위를 한 번 더 둘러봤다. "이 문은 자동 잠금식이야. 안에서 열어주지 않으면—우리가 열 방법을 찾아야겠지." 라파엘은 주머니에서 얇은 철사를 꺼냈다. "자물쇠가 전자식이면 끝장인데."

"그보다 안에 사람이 있으면 더 큰 문제야."

그들은 천천히 몸을 숙여, 귀를 문에 바짝 갖다 댔다. – 쉭. 미세한 소음. - 없다.

라파엘이 그를 보며 눈짓을 보냈다. "클리어."

라파엘은 철사로 잠금장치를 풀었고, 사이먼은 조심스럽게 몸을 일으켰다. 그리고 그의 손끝이 문고리에 닿았다.

"한 번에 열어야 해."

천천히 숨을 들이마신 사이먼은 손아귀에 힘을 줬다. '찰칵.'

다행히, 방에는 아무도 없었다. 그러나, 갑자기 문밖에서 울리는 발걸음 소리. - 무겁고 일정한 리듬. 거침없고, 익숙한 걸음걸이.
라파엘이 사이먼의 팔을 세게 잡아당겼다. "뒤쪽으로!" 그리고—벽면 뒤편, 서가가 살짝 열린 틈을 발견했다.

탁. 탁. 탁.

발걸음 소리는 이제 문 앞까지 와 있었다. 두 사람은 숨죽인 채 몸을 밀어 넣었고, 서가 문이 닫히자마자 금속이 부딪히는 열쇠 소리와 함께, '찰칵.'

아마도, 그가 의장이라면 에드먼드 블랙우드임에 틀림없다. 사이먼은 몸을 벽에 바짝 밀착했다. 그의 등 뒤로, 먼지 쌓인 고서들이 잔뜩 꽂힌 서가가 있었지만, 그다지 중요치 않았다. 이곳은 숨소리조차 위험한 공간.

그때, 휴대전화 음이 울리며, 버튼을 누르는 소리.

"잘 계셨나요? 네. 그렇죠. 그는 아직도 우리를 속일 수 있다고 생각하는군요." 그가 방 한가운데를 거닐고 있는 듯했다.

"불행히도, 그건 이미 지나간 일입니다. 장기판에선 결국 한 명만이 살아남죠."

사이먼은 침을 삼켰다. '누구 이야기인가?'

"자, 마지막 기회입니다." 그가 걸음을 멈췄다. 마룻바닥이 살짝 삐걱거렸다.

"그를 제거하는 것이 얼마나 간단한지 알기나 하시는가?"

그리고 휴대전화 너머로 낮은 목소리가 들려왔다. "아직은, 그를 다루기 위해선 살려둘 필요가 있을게요."

블랙우드는 코웃음을 쳤다. "필요한 건?. 없습니다."

책상 위에서 뭔가를 집는 소리. '서류인가?'

"이미 모든 것이 준비되어 있습니다. 시간은 우리의 편입니다. 그가 숨 쉴 수 있는 여유는 이제 몇 시간도 남지 않았을 겁니다."

사이먼은 라파엘을 슬쩍 쳐다봤다. '몇 시간…?'

"하지만 그가…." 상대방이 조심스럽게 말을 이었다.

그러나 블랙우드는 단칼에 말을 끊었다. "걱정하지 마세요."

의자의 삐걱거리는 소리. 그가 자리에 앉았다. "저에게는 '대체'할 사람이 많습니다." 짧게 웃으며, "우리에게 필요한 자는 복종하며 희생당할 사람들일 뿐입니다."

사이먼의 손끝이 차갑게 식어갔다. 잠시 정적. 그리고—

"아, 그리고." 그의 목소리가 낮아졌다.

"그가 자신의 세례명에 대해 진지하게 생각해본 적이 있을까요? 저는 그가 후회한다는 말과 함께 살려달라고 아우성치는 입술, 그리고 피가 뽑히며 애원에 가까운 신음, 마지막으로 세례명대로 목숨을 잃는 모습이 정말 기대됩니다."

그 순간, 문을 두드리는 소리가 울렸다. 똑. 똑.- 블랙우드는 미소를 머금은 목소리로 말했다. "실례." - 뚜뚜.

"들어오시지요." 또 다른 그림자가 이곳으로 스며들었다. "편하게 앉으시죠."

의자 다리가 나무 바닥을 긁는 소리가 났다. 그리고 상대가 입을 열었다. "잘 계셨습니까? 혹시, 흑사병이 유럽을 휩쓸었을 때, 누가 이 전염병을 기회로 삼았는지 아십니까?"

"교황청과 군주들이 감염을 피해 도망치던 그때, 프리메이슨이 주도했죠. 땅을 차지하는 사람은 실제, 칼을 든 자들이 아니라, 그 땅의 빚을 쥐고 있는 자들이었으니까요." 그의 목소리는 부드럽지만 날카로웠다.

"검은 죽음이 유럽을 삼킬 때, 그들은 대출을 제공했습니다. 왕실과 귀족들은 병에 걸린 가문을 팔아넘겼죠. 그 결과, 15세기 초, 유럽 금융은 그들의 것이 되었습니다."

"맞습니다. 그 후로 산업혁명이 찾아왔죠. 기계가 발명되고, 인간의 노동은 매우 값싼 자원이 되었으니 말이죠." 누군가가 손가락을 튕겼다.

"노동계급이라는 개념이 등장한 게 우연이라 생각하십니까?"

"하하. 기계가 만들어지자, 대규모 노동력이 필요해졌고, 프리메이슨은 대중들을 통제할 방법을 만들었지."

"도시로 몰려온 농민들."

"노동조합을 만들고, 저항할 틈을 주지 않도록 체제를 설계했죠."

"…한때 자유롭던 자들이 결국 노예가 되었으니까요."

"진정한 통제는 보이지 않는 족쇄로 이루어지는 법이니, 프리메이슨 수법은 아직도 우리가 꾸준히 배워야 합니다."

"프랑스 혁명은 또 어떻죠?"

"그 또한 그들이 만든 작품이지요"

"왕을 끌어내리는 것이 목적이 아니었고, 귀족 계급 전체를 무너뜨리며, 금융을 장악하기 위함이었지. 그들은 정말 대단해. 일부 유대인도 있었지만, 전부 그렇지도 않았는데 말이죠."

"민중이 혁명을 일으킨 줄 알겠지만, 혁명에는 항상 돈이 필요합니다. 무기도, 선동도, 군대도 모두 자금줄이 있어야 하니까요."

"왕의 목을 치고, 그 빈자리를 그들이 채웠다나. 허허"

"16세기 종교개혁도 같은 맥락이겠죠?"

"그렇지 않을까요?"

"가톨릭과 개신교. 믿음의 전쟁이라 생각했겠지. 하지만 전쟁이 길어질수록, 양쪽 모두 그들에게 손을 벌릴 수밖에 없었지 않나 싶습니다."

어둠 속에서 누군가의 손가락이 천천히 책상을 두드렸다. "그럼 미국 독립과 남북전쟁은?"

"미국 독립 전쟁은 유럽을 견제하기 위한 그들의 도박이었을 수도."

"미국이 독립할 수 있도록 도와준 것은 누구였겠나? 영국 왕실이 비용을 감당하지 못하도록 만들고, 그 틈을 노린 게지."

"그러고 보니, 미국 독립 후에도 경제는 영국 금융이 아닌…."

"그들이 쥐고 있었지. 남북전쟁도 마찬가지야. 노예제 폐지가 목적이 아니었을 거야. 남쪽 경제를 붕괴시키고, 북부가 모든 산업을 독점하도록 만든 것뿐이지."

"그러나, 18세기부터는 본격적으로 유대인들이 금융계를 점차 장악하기 시작했지요." 낯선 남자의 목소리는 거칠었고, 말투는 확신이 배어 있었다. "특출난 재능을 지닌 그들은 조용히 세력을 키웠고, 일부는 미국으로 건너가 그곳에도 뿌리를 내렸으니 말이요."

블랙우드는 천천히 고개를 끄덕였다. "그래서, 19세기 들어 프리메이슨은 이를 본격적으로 견제하기 시작했습니다. 하지만 그때까진 단순한 압박에 불과했어요. 진짜 문제는 동양에서 벌어진 일이었죠. 아편전쟁, 반란, 혼란. 프리메이슨이 동양을 집어삼키려 한 결과입니다."

그림자가 자세를 고쳐 앉는 소리가 들렸다. "결과적으로 화교들은 디아스포라를 겪었고, 유럽과 미국, 동남아 등으로 흩어졌습니다. 그들도 금융과 상업에 능통했기 때문에, 유대인들과 자연스럽게 연결되었죠. 유대인과 화교—이 두 세력이 하나로 엮이게 된 겁니다."

블랙우드는 이야기가 흥미로운지 손가락을 맞부딪치며, "그렇죠.

둘 다 똑같은 방식으로 살아남았지요. 타지에서도 자신들만의 정체성을 유지하면서 세력을 확장하는 법을 아는 민족들입니다. 하지만 프리메이슨은 그걸 용납하지 않았습니다. 자신들의 기득권이 침식당하는 것을 두고 볼 수 없었겠지요."

"허허. 그렇습니다. 그래서 프리메이슨은 각국의 정부를 움직여 5개년 전쟁을 계획했죠. 화교와 유대인을 분쇄하기 위해."

블랙우드는 미소를 지었다. "하지만 그들도 바보가 아니었지요. 우리의 선조 말입니다!"

"네. 자신들에게 다가오는 위협을 감지하고, 결국 그 두 세력은 손을 잡았으니까요. 단순한 사업 파트너에서 '연합'으로 발전하게 된 계기죠. 그리고 1906년—" "네메시스가 탄생했다!"

방 안이 잠시 조용해졌다. 그리고 다시, 그들은 말을 이었다. "프리메이슨도 대단했지만, 우리 네메시스는 단순한 조직이 아니었어요. 프리메이슨의 암살계획을 철저히 방어했지요. 때로는 침투하고, 정보를 빼내고, 가장 결정적인 순간에는 핵심계획을 뒤엎었으니까요."

그림자는 천천히 한숨을 내쉬었다. "휴- 다행입니다. 그때, 프리메이슨의 5개년 계획을 입수하지 못했더라면…. 선조들이 잠입해서 그 정보를 알아내고 거꾸로 역이용했으니 망정이죠. 그들 스스로가 무너지는 도구가 되었습니다."

블랙우드는 천천히 미소를 지었다. "그리고 1914년—"

"—1차 세계대전이 시작된 거죠."

숨죽여 듣고 있던 사이먼과 라파엘은 더 깊숙이 몸을 웅크렸다.

그리고 사이먼의 심장은 유달리, 고장 난 시계처럼 불규칙하게 쿵쾅거렸다. 머릿속은 복잡했으나, 그는 퍼즐 조각처럼 이들의 대화를 하나하나 맞춰 나갔다.

>1884년–화교와 유대인의 네트워크 형성.

>1906년–네메시스 창설. - 유대인과 화교의 연합 결사대.

>1904년–프리메이슨의 5개년 전쟁계획.

>1908년–네메시스가 프리메이슨 간부 70%를 암살.

그들은 프리메이슨의 방식을 그대로 계승하면서도 더욱 악랄한 방향으로 변질되었다. 예를 들면, 고대 이집트 문화와 로마 다신교를 기반으로 한 종교 채택.

>1914년–이탈리아 도서관 땅굴로 도망간 프리메이슨(마저 10%) 제거, 마지막으로 그들의 전쟁계획이 되려 이용당하며, 프리메이슨 산업기반과 가문을 모두 파괴. (100% 제거) - 1차 세계대전 발발 원인.

>1918년–베르사유 조약 체결.

역사는 사건의 나열이 아니라, 철저히 계획된 그림이었다. 누군가는 손을 뻗어 이 세계를 조율하고 있다. 그리고, 그 손이 지금, 바로 이 방에도 있었다.

사이먼은 라파엘을 흘끗 바라보았다. 그의 눈빛도 똑같았다. 이해했다는 눈빛. 그리고, 두려움.

'이것이 우리가 마주한 진실이었다….'

또다시 그들의 목소리가 들려왔다. 누군가가 손가락을 툭툭 두드리며 말했다. “베르사유 조약 체결 며칠 전… 마지막 프리메이슨 가문도 제거되었죠.” 그러자, 대화를 주고받는 그림자도 옅은 웃음 소리를 흘리며 그 말을 따라 했다. “마지막 프리메이슨 가문은 모두 제거되었죠.”

둘의 목소리가 겹쳐졌다. 묘하게 공명하는 음성이 마치 의식처럼 들렸다. ‘…마지막 프리메이슨 가문?’

그리고 둘이 입을 맞추어 소리 낸, 한 문장. - “그 이름은 바로 솔로몬 그레이.”

마지막 프리메이슨 가문. 비밀 무도회. 그리고 암살. - 사이먼은 이제야 할아버지와 부모님의 죽음을 알 수 있었다. 그것이 그들의 죽음의 진실이었고, 그것이 그들의 운명이었다. 숨이 턱 끝까지 차올랐다. 가슴이 메어왔다. 라파엘이 그의 어깨를 움켜쥐었지만, 사이먼은 이미 무너지고 있었다. 그의 세계가 산산이 조각났다. 사이먼 가문의 적은 바로 네메시스였다.

그때, 밖에서 들려오던 대화가 멈추고, 정적이 흘렀다. 그들이 떠난 걸까? 아니면 서재에 있는 라파엘과 사이먼을 눈치챈 건가?
10초, 20초… 숨소리조차 들리지 않는 긴 시간.

“가긴 한 건가?” 라파엘이 속삭였다.

사이먼은 대답은커녕, 조심스레 몸을 추스르며 일어났다.

“여기도 한번 확인해 봐야겠지.” 라파엘은 손전등을 꺼내 들었고, 빛이 사방으로 퍼져나가며 서재의 곳곳을 비췄다. 그리고 그 순간— 두 개의 시계. 빛이 닿자 두 개의 시계가 모습을 드러냈다. 하나는 낡고 오래된 시계였다. 짙은 호두나무로 만들어진 둥근 외형, 세월의 흔적이 깊게 새겨져 있었다. 1700년대 초반. 프리메이슨이 힘을 가졌던 시대.

그 옆에는 비교적 최근에 만들어진 1900년대 시계가 걸려 있었다. 현대적인 구조, 검은 철재로 만든 깔끔한 틀. 낡은 건 매한가지였지만, 1700년대 시계만큼은 아니었다. 두 개의 시계는 나란히 걸려 있었지만, 세월의 차이는 뚜렷했다.

정신을 차린 사이먼이 시계를 바라봤다. “이건…”

라파엘도 시계를 가리키며 중얼거렸다. “놈들이 얼마나 자신만만했는지 알겠군. 하나를 없애지도 않고, 떡하니 옆에 걸어두면서 ‘우리가 이제 주인이다’라고 말하는 거지.”

“어? 라파엘… 근데 뭔가 이상해.”

라파엘도 고개를 들었다. “무슨 소리야?”

각각의 시계는 시침과 분침이 다른 시간을 가리키고 있었다.

1700년대 시계의 시침은 7을, 분침은 2를 가리켰고, 1900년대 시계의 시침은 5, 분침은 4.

7 + 5 = 12.

2 + 4 = 6.

12 + 6 = 18.

‘666.’

순간, 그들의 등 뒤에서 식은땀이 줄줄 흘러내렸다. “라파엘, 저 시계… 계속 움직이고 있어.”

각각의 시계는 서로 다른 시간을 가리키면서도, 합하면 언제나

'18'을 유지하고 있었다. "이건…" 라파엘이 갈라진 목소리로 "놈들이 일부러 맞춘 거야. 네메시스가 프리메이슨을 장악한 후, 남겨둔 암호."

1700년대 시계는 프리메이슨의 시대를 가리키고, 1900년대 시계는 네메시스의 시대를 가리킨다. 하지만 그 차이를 뛰어넘어 둘은 하나의 공식으로 묶여있었다. 언제나 18.-666을 뜻하는 숫자의 합.

라파엘이 다시 입을 열었다. "놈들은 단순히 프리메이슨을 없앤 게 아니야." 그의 눈빛이 흔들렸다. "시간마저 지배했다."

사이먼은 손을 뻗어 시곗바늘을 돌려보려 했지만, 바늘은 미동도 하지 않았다. 마치 보이지 않는 힘이 그 흐름을 조종하는 듯했다.

그때—

"끄어어어어—!"

엄청난 굉음이 이 작은 방을 뒤흔들었다. 사이먼과 라파엘은 동시에 벌떡 돌아섰다. "…뭐야?!"

상원의장 애드먼드 블랙우드. 그는 의자에 비스듬히 기대어, 입을 벌린 채, 지옥에서 울려 퍼질법한 코골이를 뿜어내고 있었다.

"크—으으어어어—!"

라파엘이 깊은 한숨을 쉬었다. "…씨발."

그토록 소름 끼치는 진실을 마주한 순간. 더 소름 끼치는 건 이 미친 코골이 소리였다. 사이먼도 미간을 짚으며 말했다. "일단 저 인간이 잠에서 깨기 전에, 뭔가 더 찾아야 해."

그리고 그 순간— 선반 위에 놓인 두툼한 서류철 하나가 눈에 들어왔다. 가죽으로 된 오래된 표지, 붉게 바랜 실로 제본된 문서. 사이먼이 냉큼 집어 들자, 먼지가 뿔뿔이 흩날렸다. "…뭔가 냄새가 나는데."

"무슨 냄새?"

사이먼은 문서를 펼쳐 보이며 중얼거렸다. "비밀의 냄새."

그 안에는 정말 의회의 도면이 숨겨져 있었는데, 라파엘이 빌라 주스티니아니 도서관에서 봤던 도면과는 사뭇 달랐다.

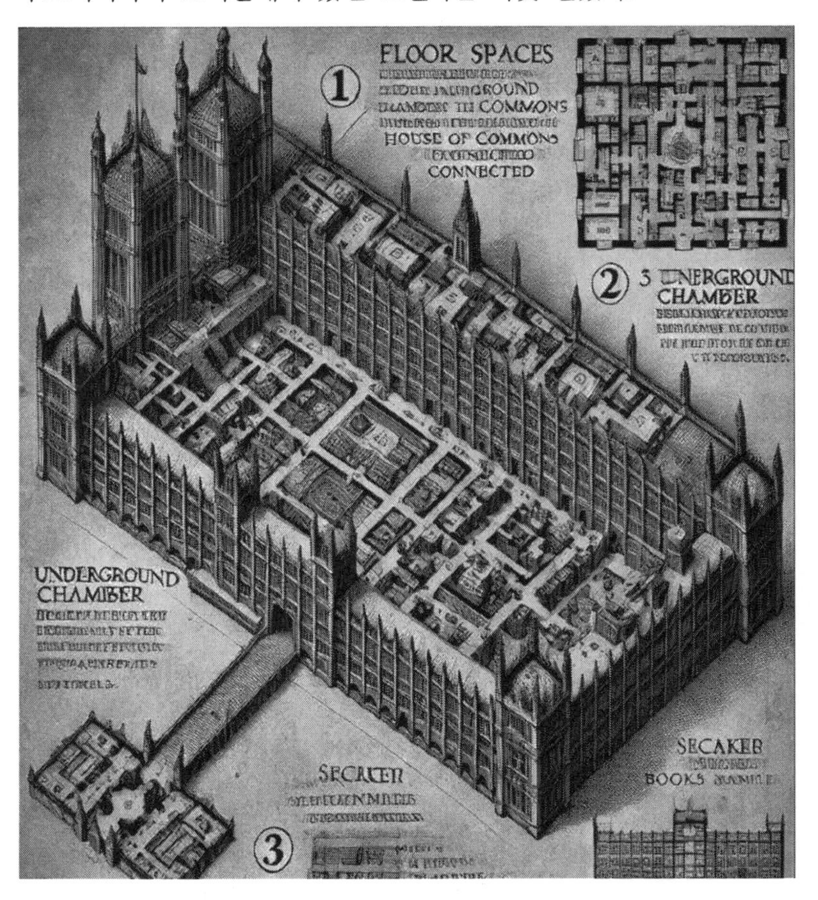

“이거, 내가 도서관에서 봤던 설계도와는 달라. 곳곳에 기묘한 기호와 상징들이 있어.” 라파엘이 빠르게 도면을 스캔했다. “어라? 이거… 우리가 이미 지나온 곳들도 표시되어 있는데?”

1번 위치 - 하원 지하실, 처음으로 거쳐 간 비밀 통로였다. 하원의 지하실 깊숙한 곳, - 라파엘은 손가락으로 그 표시를 짚었다. “이건 우리가 이미 들어갔던 곳이잖아. 그치?”

사이먼도 고개를 끄덕였다. “프리메이슨 흔적이 많았지.”

2번 위치 - 상원의장실 뒤 비밀 서재. 지금 이곳. 사이먼과 라파엘이 숨어있는 은밀한 방. 그곳에서 지금 이 도면을 발견한 것이었다. “현재, 우리가 여기 있고….”

그런데, 3번 위치 - 웨스트민스터 홀에서 템스강으로 연결된 통로. 그 표시를 본 사이먼과 라파엘의 시선이 동시에 멈췄다. 3번에는 1, 2번과 달리, 누군가 뭔가를 급히 지운 흔적이 있었다.

“…….”

사이먼은 그 부분을 손가락으로 문질렀다. 그 모습을 본 라파엘은 어이없다는 듯이 사이먼을 흘겨보더니, 도면을 휙 가져갔다. 그리고 입에 손전등을 문 채, 도면을 살짝 기울였다. 그러자 빛이 사선으로 들어오면서, 지워진 부분의 결이 미세하게 드러났다. “빛을 조절하면, 잉크의 압력이 남아 있는 곳을 볼 수 있어.”

사이먼이 라파엘 입에서 전등을 가져와, 직접 각도를 이리저리 비추어보았다. 그때, 라파엘은 손가락으로 도면을 따라가며 중얼거렸다. “잠시만, 거기! 그 각도야. 아니, 아니 다시 거기! 어.”

사이먼이 자세히 바라보니, 지워진 문장은 바로– 문장이 아니라 그림이었다. 이스라엘 국기와 함께 표시된 수상한 상징.

"이 문양… 어디서 본 것 같은데." 사이먼이 말하자, 라파엘이 도면을 가까이 당겨 살폈다. "설명이라도 좀 적혀 있나?"

어떤 설명도 없었다. 다만, 문양 자체가 그 모든 설명을 대신하는 듯했다. 그 수상한 상징은 이랬다. 중앙에는 하나의 작은 원이 있었고, 그 원을 중심으로 다층적인 도형들이 확장되듯 퍼져나갔다. 마치— 연못에 던진 돌이 만들어낸 파문처럼.

또, 그 주위를 둘러싼 것은 다각형과 원들. 점점 더 복잡하게 얽혀가면서도 일정한 패턴을 유지하고 있었다. 심지어, 가장 바깥쪽에는 네 개의 문처럼 보이는 사각형도 자리 잡고 있었다. 그리고 그 문 너머에는—태양과 별을 연상시키는 형상이 있었다. 그리고 그 사이사이, 고대 문자처럼 보이는 기호들이 새겨져 있었다.

쉽게 말하자면, 어떤 문양은 불꽃처럼 뻗어 나가고, 어떤 문양은 미로처럼 꼬여 있었다. 라파엘이 천천히 숨을 들이쉬었다. "…이건 평범한 상징이 아니야."

사이먼도 손끝으로 몇 번이나 문양을 요리조리 따라가며 속삭였다. "…이건, 너무 익숙한데?."

라파엘이 눈썹을 찌푸렸고, 사이먼은 도면의 3번 위치를 다시 확인했다. "…놈들이 뭘 숨기고 있는 거지? 상징은 잘 모르겠지만, 확실한 것은 이스라엘 국기와 함께, 저기가 비밀 통로라는 것을 의미하는 것 같아."

이에, 사이먼과 라파엘은 동시에 마주 보았고, 이 도면이 가리키는 곳— 그곳이야말로, 그들이 가야 할 최후의 장소였다.

서재 한쪽, 어두운 그림자 속에 몸을 움츠린 그들은 한동안 숨을 죽이고 있었다. 벽 너머에서 꾸르르— 컥! 하는 소리만 반복될 뿐.

라파엘은 기어들어 가는 목소리로 속삭였다. "아니, 사람이라면 최소한 한 번쯤은 몸을 뒤척인다든가, 물을 마시러 간다든가 해야 하는 거 아니야? 저거 인간 맞아?"

사이먼은 방에 있는 시계를 올려다봤다. 벌써 30분 동안, 여기서 상원 의장의 거친 숨소리와 간헐적인 가래 끓는 소리만 듣고 있었다. 그는 벽에 등을 기댔다가 다시 몸을 일으켜 세웠다. 그리고 무릎을 구부렸다 폈다 하며, 다리에 감각을 돌아오게 했다. "이대로 새벽까지 기다릴 순 없어."

"그럼 뭐, 베개로 질식시킬까? 아니면 살살 깨워서 '왜 아직도 안 가셨어요?' 하고 물어볼까?"

라파엘의 농담에 사이먼은 짧게 코웃음을 쳤지만, 그는 이미 서재를 훑고 있었다. "우린 3번 통로를 찾아야 해. 도면을 보면 분명 여기에도 연결된 길이 있을 거야."

라파엘은 못 믿겠다는 듯이 눈썹을 치켜세웠다. "이 좁아터진 서재 안에? 숨겨진 문이라도 있겠다는 거야?"

사이먼은 주위를 둘러보며 천천히 고개를 끄덕였다. "그럴 가능성이 크지. 아니, 당신이 숨어있던 지하 도서관에서도 땅굴이랑 이어졌지 않았어?"

"그러네? 뭐든 해보자. 근데, 만약 없으면 저녁값을 쏴야 해. 여기서 나가자마자."

사이먼은 피식 웃었다. "당신 목숨값보단 싸겠지."

그들은 한 걸음, 한 걸음, 바닥의 작은 틈까지 살피며 움직였다. 그리고, 탁. - 저 선반에서 나는 소리가 유달리 이상했다.

"컥… 흐어억… 쿨럭…"

라파엘은 신경질적으로 머리를 긁적였다. "아니, 이러다간 우리 둘 다 여기 갇혀서 늙어 죽겠어. 저 선반 옮겨보자."

그러다, 손에 걸리는 작은 틈이 있었다. "이거 봐." 사이먼은 마저 선반을 한쪽으로 살짝 밀었다. 삐걱—!

"됐어, 이거야!"

라파엘이 재빨리 달려와 함께 책장을 더 밀었다. 책장이 완전히 스르륵 밀려나며, 그 뒤에 감춰진 좁은 입구가 드러났다. 개구멍이라고 할 만큼 좁은 구멍이라고 해야 하나. 아무튼, 거기엔 철제 사다리가 아래로 쭉 뻗어 있었다. 라파엘이 손전등으로 아래를 비췄다. "젠장… 보이지도 않아."

사이먼도 어두운 심연을 내려다보며 씁쓸한 미소를 지었다. "아래가 얼마나 깊은지도 모르겠는데, 그냥 내려갈까?"

"그럼 저 코 고는 분이 깨어날 때까지 여기 있을래?"

"…좋아. 젠장, 가자고."

라파엘이 가장 먼저 사다리를 붙잡고 조심스럽게 발을 내디뎠다. 금속이 삐걱거리며 그들의 체중을 받쳐냈다. 사이먼이 뒤따라 내려가며 마지막으로 위를 올려다봤다. 그 순간에도 의장의 코골이는 여전했다.

라파엘이 거의 다 내려왔을 때였다. 위에서 훅하고 바람이 불었다 싶더니, 갑자기 무게가 확 쏠렸다. "야야야! 뭐야, 뭐야!!"

사이먼이 너무 성급하게 내려오다 균형을 잃었고, 결과적으로 그의 엉덩이가 라파엘의 머리에 정확히 착지했다. 퍽! "네 엉덩이가 왜 내 머리 위에 있는 거냐고!"

"으악, 미끄러졌어!"

라파엘이 온몸으로 버둥거리며 소리를 질렀고, 사이먼은 황급히 팔을 뻗어 잡을 곳을 찾으려 했다. 하지만 사다리는 축축했고, 결국 둘 다 동시에 미끄러지듯 바닥으로 곤두박질쳤다. 쿵!

"으…. 이건 진짜 아니잖아." 라파엘은 땅바닥에 널브러진 채, 머리를 문지르며 사이먼을 째려보았다. 사이먼은 미안하다는 표정을 짓다가도, 애써 웃음을 참으며 말했다. "그래도… 무사히 내려왔잖아?"

라파엘이 이를 악물며 일어나려다 멈췄다. "잠깐만. 여기… 뭐야?" 그들이 떨어진 곳, 그 앞에는 기묘한 입구가 있었다. 피라미드 모양을 한 돌문.

양옆으로 날개처럼 뻗은 삼각형 문양이 문 옆으로 새겨져 있었고, 문 상단에도 여러 숫자가 적혀 있었다.

"…이거, 어디서 본 적 있어." 사이먼이 목소리를 다시 낮추며 수군거렸다.

"네메시스인가? 그 녀석들 꼭 이런 거 좋아하잖아."

"문제는 문이 왜 여기 있냐는 거지."

라파엘이 침을 삼켰다. 하지만 망설일 시간이 없었다. 뒤로 돌아갈 수도 없었고, 위로 올라가는 것도 이상했다. "막다른 길이네."

라파엘이 손을 뻗어 돌문을 밀었다. 끼이이익— 문이 열리는 순간,

안에서 독특한 냄새가 밀려왔다. 음식이 오래 썩어 비릿하게 변한 냄새. 기름진 초가 타면서 뿜어내는, 눅진하고 텁텁한 연기 냄새.

숨을 들이쉬자마자, 그 향이 코안 쪽을 찌르듯 스며들었다. 마치 오래된 무덤 안에서 나는 듯한, 썩은 육체와 의식의 흔적이 뒤엉킨 악취.

"…여기 진짜로 들어가야 해?" 라파엘이 찝찝한 표정을 지으며, 손전등의 전원을 내렸다. 그리고 사이먼은 한 손으로 코를 막고 앞장서며, 매우 천천히, 신중하게 그 안으로 들어갔다. 숨소리 하나, 발소리 하나조차 이 축축한 지하 공간에서는 너무나 거슬렸다. 우유 썩은 냄새라기보다는 비릿한 피 냄새와 부패한 살 냄새가 뒤섞인 것만 같았다. 라파엘은 입을 틀어막으며 헛구역질을 삼켰다. 그러다 발견한 앞쪽.

넓은 공간 한가운데에서 수상한 의식이 진행되고 있었다. 남자들은 검은 제사 복을 입고 있었고, 얼굴은 잘 보이지 않았다. 사내의 숫자를 세어보니 열한 명.

반면 여자는 넷, 그들은 순백의 드레스를 입고 십자가를 들고 있었다. 그리고 그들의 발밑에는 나라를 상징하는 밀랍 모형이 지도처럼 놓여있었는데, 남자들이 주기도문을 마치자, 지도 위에 십자가를 하나씩 올려놓았다. 지도를 자세히 살펴보니 북아메리카, 한반도, 유럽, 중동의 대륙과 비슷했다.

라파엘이 나지막이 중얼거렸다. "이건… 뭘 의미하는 거지?" 그 순간, 기도하던 남자 중 한 명이 손을 들었다. 그러자 다른 이들이 일제히 몸을 숙였고, 그는 엄숙한 목소리로 말했다. "우리는 새로운 세상을 창조할 것이다. 죽음 위에 세운 왕국. 거대한 무덤에서 피어난 인류." 그리고 그 남자는 초를 지도모형 위에 내려놓았다. 그러자, 이번에는 여자들도 지도모형 위에 십자가가 놓인 옆에, 초를 하나씩 채워가기 시작했다. 그리고, 초가 타들어 가면서 피처럼 보이는 액체가 흘러내리니, 순식간에 각 대륙은 시뻘건 색으로 물들기 시작했다.

의식은 점점 절정을 향해 가는 듯했다. 남자들은 손을 들어 어떤 문양을 그리며, 마치 보이지 않는 힘이 그들을 감싸고 있다는 느낌을 보여주곤 했다. 라파엘과 사이먼은 최대한 하수도 벽면에 몸을 바짝 붙이며 조심스럽게 옆걸음으로 움직였다. 사이먼은 라파엘을 힐끔 쳐다보며 눈짓했다. '조용히 빠져나가야 한다.'

두 사람은 그곳을 지나, 더 깊은 어둠으로 들어갔다. 길을 따라 걸어보니, 하수도 구조는 꼭 피라미드의 자궁 같았다. 그때였다. 멀리서 희미하게 들려오는 비명. "끄…아악…!"

살갗을 찢는 듯한, 그러나 질식하듯 막혀버린 목소리.

사이먼과 라파엘은 동시에 숨을 삼켰다. 그리고 그들이 본 것은… 악몽 그 자체였다.

거대한 돌 제단 위, 벌거벗겨진 인간들이 묶여있었다. 그들의 살갗은 흉측하게 부풀어 오르고 있었고, 뼈와 근육은 무언가 다른 형상으로 조각되고 있었다. 그들의 눈은 뒤틀렸고, 입술은 말라비틀어진 채 파르르 떨리고 있었다. '죽지 않았다. 그들은 모두 살아있었다.' 그리고 그들을 조각하는 자들은, 마치 신의 의식을 행하듯 조용히 손을 움직였다. 살갗 위에 칼이 지나갈 때마다 질질 흘러내리는 피.

그러나 그 피는 바닥에 닿기도 전에 공기 속으로 증발해버렸다. 아니, 흡수되고 있었다.

"이건… 대체 뭐야…? 궁전 4층에서 봤던 거랑 비슷해. 여긴 너무나 위험해." 라파엘이 속삭였다.

사이먼은 입을 열지도 못했다. 그때였다. 그들의 시선이 닿은 또 다른 투명한 벽. 그곳에 무언가 봉인되어 있었다. 비록, 밀랍으로 만들어진 동물들이었지만, 하나같이 양의 형상을 지녔으며 팔과 다리는 녹아내린 촛농처럼 구부러져 있었고, 입을 벌리고 신음하는 듯한 얼굴이었다.

"도망쳐야 해." 라파엘이 귀에 대고 속삭였다. 그때, 그들이 몸을 숨긴 벽 너머, 검은 옷을 입은 아까 그 남자들이 또 모습을 드러냈다. 제사의식을 지내던 열한 명의 남자와 네 명의 여자들이었다. 그들도 이곳에 막 도착하더니, 모두 중얼거렸다. "이 땅은 죽은 자의 무덤이 되리라. 이 피라미드는 신의 자궁이 되리라. 우리는 다시 태어나리라."

그 이후로도 정체를 알 수 없는 속삭임들이 하수도를 가득 채웠다. 그들이 한 걸음 내디딜 때마다 바닥의 핏빛 액체가 찰박이며 발밑에서 울렸다. 모른 척 지나가려 했지만, 사이먼이 고개를 살짝 돌려보니, 정중앙에 놓인 황금으로 짜인 관이 있었고, 그 안에 놓인 것들은—작고 연약한 세 개의 몸뚱이. 갓난아기의 피부처럼 연약해 보이는 사체들. 혹은, 아직 숨을 쉬고 있을지도 모를.

머릿속에 떠오르는 기사들. 짧은 문장들. 아무렇지도 않게 보도되는 통계. "전 세계 실종 아동 수, 연간 800만 명 이상."

"일부 국가는 아동 사망 원인 공개를 거부하는 법안을 추진 중."
"여성과 아동 실종 사건, 매년 증가세. 그러나 공식 발표는 지연."
처음에는 하나의 숫자. 하나의 그래프. 그저 차트 속의 점에 불과했다. 그러나 여기, 이곳에서는— 그 숫자들은 그 실체를 보여주고 있었다. 피부를 가지고, 손가락을 가지고, 미처 다물어지지 않은 작은 입을 가지고 있었다. "빌어먹을…. 리비도 같은 건가."
국가가 그것을 방관할 때. 법이 그것을 허용할 때. 진실을 말할 수 없는 자들이 입을 다물 때. 그들은 사라진다. 사이먼은 주먹을 쥐었다. 그는, 지금 숫자 속에서의 '진짜'를 보고 있었다.
그리고 커다란 황금 관에는 짐승들도 나란히 누워있었다. 커다란 숫염소, 그리고 단 하나의 작은 뿔을 가진 기이한 사슴. 사슴의 몸은 가느다랗게 경련했다. 죽음과 생명 사이, 그 경계에 놓여있는 모습.
사이먼의 눈동자는 끊임없이 흔들렸다. 그리고 그 순간, 또 다른 의식이 시작됐다. 검은 정장을 갖춰 입은 열한 명의 남자들. 그들은 마치 하나의 기계처럼 완벽히 일치된 걸음으로 황금으로 짜인 관 주위를 둘러섰다. 흰색 드레스를 입은 네 명의 여자들은 그보다 한 발짝 뒤에서 서 있었고 모두 얼굴을 가면으로 가리고 있었다. 사람의 얼굴과는 다른, 웃는 표정이 굳어버린 광대 가면.
그들 중 하나가 낭독을 시작했다. "첫 번째 사슴의 무리는, 사냥꾼이 놓아둔 미끼를 발견했다." 나지막한 목소리.
"그들은 넋을 놓고 그것을 먹어버렸다. 그리하여 취해버렸고, 방일했다. 방일할 때 사슴 사냥꾼은 그들을 원하는 대로 할 수 있었다."

"그 첫 번째 사슴의 무리는… 사냥꾼의 지배에서 벗어나지 못했다."
"지혜가 여기 있으니, 총명한 자는 짐승의 수를 세어보라."
"그것은 사람의 수이니, 그의 수는… 육백육십육이니라."

마지막 문장이 울려 퍼질 때, 열한 명의 남자들이 일제히 검은 장갑을 벗었다. 그들의 손등에는, 어둠 속에서도 선명하게 빛나는 붉은 낙인이 새겨져 있었다. 장갑에 이어, 옷도 하나씩 벗기 시작했다. 그리고 남자 11명과 성인 여자 4명의 몸과 다리가 뒤엉키며, 서로를 탐하기 시작했다. 그 사이, 악어 3마리가 통로에서 기어 나오더니, 남자들은 악어들을 모두 밧줄과 쇠사슬로 묶기 시작했고 여자들은 또다시 그 악어들의 가랑이와 뒤엉켜가고 있었다.

"헙–!" 사이먼은 자기도 모르게 탄성을 내질렀다. 깜짝 놀란 라파엘은 그를 팔꿈치로 치며, "미쳤어? 입 다물어." 그러자, 고개를 돌린 그들의 모습– 15명의 인간과 3마리의 악어.

벌거벗은 남자들이 섬뜩한 가면을 쓴 채, 흐느적거리며 그들을 바라봤고, 여자들은 창백한 피부 위로 땀을 흘리며, 희미한 촛불 속에서 몸을 계속 일그러뜨리고 있었다.

"저놈들을 잡아라!" 꽈르릉! 악어들이 묶인 쇠사슬이 끊어지는 소리와 함께 검은 사내들이 뛰어오는 발소리.

세 마리의 악어는 기괴한 소리를 내며, 피범벅이 된 꼬리를 세차게 내리쳤다. 쏴아아아–

"더 빨리 뛰어! 뛰어!" 사이먼이 뒤에서 라파엘을 계속 밀치며 소리를 쳤다. 그들 뒤로는 광기 어린 발소리가 점점 가까워지고 있었다.

"여기야, 이리로!" 라파엘은 자신을 떠밀던 사이먼의 팔을 잡아끌어, 하수도의 또 다른 구멍인 어딘가로 떨어졌다. 그 순간, 물소리가 들려오기 시작했고, 사방의 구멍에서 이곳으로 더러운 물이 쏟아져 나왔다. "그래도 아직, 무릎까지밖에 안 차올랐어! 저들을 따돌리려면 어디로 가야 하지?"

"저기다, 저기!" 사이먼이 손을 내밀어 가리킨 곳에는 낡은 철 사다리가 위로 뻗어 있었다. 망설임 없이 사다리로 올라가던 중, 뒤쫓아온 요원 중 한 명이 총을 꺼내 들었고, 사이먼은 막 지상에 도착했다. 반면, 라파엘은 미처 다 올라가지 못하고 발을 헛디디며 허둥지둥 올라가고 있었다. "쏴!"

챙! - 금속 벽을 스치는 총알.

라파엘이 순간, 몸을 움츠리니 균형이 무너지며 간신히 한 손으로 사다리를 움켜쥐고는 허둥대고 있었다. 그래도 사이먼이 보이는 곳까지는 바로 코앞.

"라파엘, 빨리 올라와!" 사이먼이 손을 내밀었다. 콰과과광!!!!

하수구 천장 옆으로 설치된 PVC 관을 통해, 콸콸콸콸!!!!

"크억!" 라파엘은 사다리에 매달린 채 숨을 헐떡였고, 사이먼도 갑작스러운 수압에 비틀거리며, 철제 난간을 붙잡았다. 위에서 떨어지는 물줄기가 라파엘을 덮칠 때마다 공포가 몰려왔고, 발밑에서 차오르는 하수로에 미끄러질 뻔 하자, 사이먼은 "한 번만 더! 마지막이야!"라고 외쳤다.

그리고, 검은 그림자들— "으악!!" 외마디 비명을 지르며, 거대한 강물이 그들을 끊임없이 덮치니, 콰르르!!! 넘쳐흐르는 물은 미친 듯이 소용돌이치며 하수도 벽을 여기저기 부딪쳤다. "살려…줘!"라며, 하늘에 손을 뻗었지만 그대로 휩쓸려 가고 있었다.

"라파엘, 어디 봐? 정신 차려!" 사이먼은 반대쪽 손으로 그를 향해 필사적으로 팔을 뻗었고, "빠르게, 빠르게!"를 외치며 손을 잡아끌었다. 비에 젖은 개처럼 흠뻑 젖은 채, 라파엘은 젖먹던 힘까지 짜내어 사다리를 기어올랐다. 손끝이 마침내 사다리 꼭대기에 닿았고, 사이먼이 두 손으로 그의 몸통을 단단히 붙잡으며, 최대한 힘을 주어, 단숨에— 휙!

그때, 어디선가 들려오는 목소리. "뱀들아! 독사의 새끼들아! 너희가 어떻게 지옥의 판결을 피하겠느냐 피하겠느냐...하겠느냐...느냐..."

그리고 동시에— 앞쪽에서. "그들은 전에 음란하게 섬기던 숫염소에게 다시 제사하지 말 것이니라. 이는 그들이 대대로 지킬 영원한 규례니라."

소리가, 앞뒤에서 겹쳐 울렸다.

"뱀들아! 독사의 새끼들아!" "...지옥의 판결을... 피하겠느냐..." "숫염소에게 다시 제사하지 말 것이니라!" "이는 그들이…. 지킬…. 영원한 규례니라."

그리고, 쾅!!! 철제 뚜껑이 닫혔다. 라파엘은 숨을 거칠게 내쉬었고, 사이먼도 온몸이 굳어졌다. 한동안 그들은 기진맥진한 채 바닥에 나뒹굴었고, 아래에서 들려오는 건— 이제 폭포 소리뿐이었다. 5분 정도 시간이 흐르고, 사이먼은 손끝으로 어딘가를 가리키며, "저기야!" 하고 외쳤다.

문을 열고 들어가자, 상부의 환기구가 다행히 뚫려 있었다. 그들은 하수도의 덫칠을 벗어나, 신선한 바람이 불어오는 방향으로 나아갔다.

여기는 영국 의회 밖, 도로 한복판. 빅벤이 가르치는 시침과 분침은 17시 58분.

라파엘이 중얼거렸다. "너 때문에 영국에서도 들켰다고."

"어디로 가야 하지?"

그 도면, 3번 출구. 그리고 그 아래, 이스라엘 국기.

그 둘은 동시에 입 밖으로 외쳤다. "이스라엘!"

라파엘은 짧게 숨을 들이쉬었다. "거기, 에덴의 핵심 지부가 있다는 얘기를 들은 적이 있어."

“좋아. 가보자.” 사이먼은 고개를 끄덕였다. ″하지만 직항은 위험해.″ 둘은 동시에 주변을 살폈다. 네메시스의 감시망 속에서, 어떻게 이동할 것인가? 그 순간— 길모퉁이, 거리에 스며든 ‘초록빛’의 신호등. 건널목을 건너는 한 사내, 길 한쪽에 서서 신문을 읽는 노인, 지하철 계단 아래 서 있는 아이. 모두 초록색 옷을 입고 있었다. 그리고 아까 코트를 입은 사내가 그들 앞을 지나쳤다. 동시에, 떨어뜨린 무언가.

종이였다. 사이먼은 빠르게 주워들었다. 손글씨로 쓰인, ″노르웨이. 항구. K-7 구역. 오후 9시.″

″우릴 돕고 있는 놈들이 있어.″

″하지만 누구지? 그때, 궁전에서 그랬잖아.″

북해를 건너, 노르웨이로…. 영국을 벗어나는 것도 문제였다. 그들이 선택한 경로는 북해를 건너는 화물선.

배가 어둠 속을 가르며 출항했다. 그리고 런던 독에서, 그들을 배웅하는 듯 멀리서 지켜보는 초록색 코트의 사내.

이틀이 지나, 노르웨이, 항구 K-7. 그들은 폐쇄된 비행장을 찾아갔다. 눈 덮인 활주로. 그리고… 헬기.

″실례합니다. 이상한 부탁이지만, 혹시 이스라엘까지 태워 주실 수 있나요?″

조종사가 모자를 쓴 채, 그들에게 거절의 손짓을 보냈다. ″무슨 소리입니까. 이건 개인 헬리콥터입니다.″

“아 왜, 그놈은 여기 주소를 알려준 거야?” 사이먼은 라파엘에게 그의 정체를 물었다. 그 이야기를 듣던, 조종사가 갑자기 고개를 끄덕이며 큰소리로 외쳤다. "저는 핀란드로 가는 길이에요. 타세요!"

그들을 태운 헬기가 노르웨이 상공으로 날아올랐다. 30분 정도의 시간이 흐르고 어느덧, 헬기는 낮게 선회하며 부드럽게 하강을 시작했다. 프로펠러 소음이 귀청을 때릴 듯 울렸고, 밤공기가 회오리처럼 휘몰아쳤다. 눈송이가 떠다니듯이 휘날리며 착륙 지점을 감쌌다. 헬기가 지면에 닿자마자 사이먼과 라파엘은 빠르게 몸을 숙이며 밖으로 뛰쳐나갔다. 회전하는 프로펠러의 강한 바람이 얼굴을 후려쳤지만, 둘 다 크게 신경 쓰지 않았다. 사이먼이 아차 싶어, 숨을 고르며 조종사를 향해 손을 흔들었다. "정말 고맙습니다. 아니었으면 우린 벌써—!"

조종사는 그들을 말없이 응시하다가, 입에 문 담배를 손가락으로 튕겨 털었다. 라파엘도 헬기 쪽을 바라보며 외쳤다. "부디 무사하시길!"

그 헬기는 다시 떠올랐고, 거대한 날개가 바람을 가르며 점점 멀어져 갔다.

사이먼과 라파엘은 곧장 헬싱키 공항(Helsinki-Vantaa Airport)으로 발걸음을 옮겼다.

"이스라엘행 직항편은 찾았어?" 사이먼이 물었다.

라파엘이 공항 터미널 전광판을 이리저리 살폈다. "텔아비브행 직항이 있어."

제3장 에덴의 동산

일몰이 창문을 타고 기내를 붉게 물들이고 있었다. 사이먼은 피곤한 눈을 비비며 옆을 바라보니, 라파엘은 고개를 푹 숙인 채 코를 골며 자고 있었다.

"이 양반이…"

4시간 30분 동안 자신은 기내에서 추적당할지도 모르는 핸드폰을 켜고, 이스라엘 관련 정보를 훑어보기도, 머리를 싸맸기도 했는데, 이 작자는 아직도 꿈나라였다. 기장이 착륙을 알리는 방송을 하자, 승객들이 기지개를 켜며 자리에서 일어나기 시작했다. 사이먼은 라파엘의 어깨를 툭툭 쳤다. "일어나, 노친네. 도착했어."

"으으음… 뭐? 벌써?" 라파엘이 눈을 반쯤 뜨고 하품을 하며 중얼거렸다.

"벌써? 4시간 30분을 통째로 날려 먹었으면서."

"내가 너보다 오래 살아서 그래. 나이 들면 말이다, 어디서든 잘 자는 게 생존 기술이야."

"그동안 난 정보라도 정리했는데, 이스라엘에 도착하고도 어디로 가야 할지 모를 판이야."

라파엘은 손을 턱에 괴고 히죽 웃었다. "네가 그러고 있는 동안 꿈속에서 딥스테이트와 싸우고 있었어. 아차. 그 핸드폰 충전하지 말라니까?"

"지금은 껐어, 당신은 이불 속에서 대첩이라도 벌였단 말인가." 사이먼은 비꼬듯 말하며 일어났다. "현실에서 싸울 준비나 하자."

두 사람은 기내에서 내려, 공항 로비로 걸어 나왔다. 텔아비브 벤구리온 공항 특유의 대리석 바닥이 반짝였고, 이곳저곳에서 여행객들의 웅성거림이 들려왔다. 유대인 남성들이 키퍼를 쓰고 바쁘게 지나갔고, 군인으로 보이는 청년들이 소총을 멘 채 여유롭게 걸어가고 있었다. 라파엘이 주변을 두리번거리며 말했다. "이 근처에 에덴 조직이 있을 가능성이 커."

"뭐? 설마 공항 안에 있는 거 아니겠지?"

"공항은 아니고… 아마 공원일 거야."

사이먼은 잠시 멍하니 라파엘을 응시하다가, 피식 웃음을 터뜨렸다. "비밀결사대가 공원에 있다고?"

"그럴 수도 있지."

"이봐, 우리는 그림자 속 비밀 지부를 쫓고 있다고. 공원이 뭐냐, 공원이. 누구나 드나드는 곳인데? 혹시, 거기도 우리가 갔던 곳처럼 비밀 시설이라도 있는 건가?"

라파엘은 어깨를 으쓱였다. "그렇지 않겠어? 나는 예전에 여기에도 에덴의 핵심 지부가 있다는 걸 들었어."

사이먼은 혀를 찼다. "참나, 10년 동안 정보도 못 모으고 여기 와서 공원부터 찾겠다고? 적어도 위치 정도는 파악하고 있어야 하는 거 아니냐? 그런데 비행기 안에서는 코 골면서 자고 있었다고?"

라파엘은 기지개를 켜며 대꾸했다. "몸이 생각처럼 따라주나."

사이먼은 헛웃음을 지었다. "지금 뭐, 노인정 나왔어? 다음엔 목베개까지 챙겨드릴까?"

"어, 괜찮은데?" 라파엘은 진지한 얼굴로 맞받아쳤다.

사이먼은 한숨을 내쉬며 출국장을 향해 발걸음을 옮겼다. 어쨌든, 텔아비브에 도착했다. 문제는 이제 어디로 가야 하느냐였다.

입국 심사를 마치고 공항을 빠져나오자, 텔아비브의 따스한 공기가 피부에 들러붙었다. 지중해의 태양은 종적을 감췄으나, 아직 그 열기가 잔혹할 정도로 강렬했고, 하얀 석회질 건물들이 차츰 켜지는 가로등 속에서도 눈부시게 빛났다. 그리고, 곳곳에 야자수가 서 있었고, 오토바이와 승용차가 혼잡하게 뒤섞여 경적을 울리곤 했다. 거리는 활기찼고, 사람들은 여유로운 걸음으로 카페 테라스에서 커피를 마시거나, 노천 시장에서 과일을 흥정하고 있었다.

사이먼과 라파엘은 거리로 나와 주변 행인들에게 공원에 관해 물었다. 영어가 익숙한 현지인들인지라, 꽤 호의적으로 대답해줄 거라고 믿었다.

"공원이라면 많죠. 하이야콘 공원, 야르콘 공원, 루빈스키 정원, 로스차일드 가든, 그리고 사론 공원까지. 다들 잘 꾸며져 있어서 가볼 만할 거예요."

사이먼이 고개를 끄덕였다가 본론을 꺼냈다. "혹시 그중에서 에덴이라는 조직과 관련된 곳이 있나요?" 그러자 남자는 활짝 웃으며 어깨를 으쓱했다. "에덴? 하하! 음모론이잖아요. 이스라엘 정부가 공원에 비밀조직을 숨겼다고요? 영화 너무 많이 보신 거 아닌가요?"

옆에서 대화를 듣던 행인도 피식 웃었다. "그러니까요. 만약 그런 조직이 정말 있다면, 왜 대놓고 공원에 있겠어요? 그건 너무 어이없는 이야기 아닌가요? 질문이 뜬금없습니다."

그들의 반응에 굳은 표정을 하며, 괜히 되물었다. "말도 안 되는 소리라는 거죠?"

"당연하죠. 공원은 가족들이 소풍 가고, 사람들이 산책하는 곳이에요. 딥스테이트가 거기서 피크닉이라도 한다는 건가요?"

행인들은 다시 한번 낄낄 웃으며 길을 떠났다. 사이먼은 고개를 갸웃하며 라파엘을 바라봤다. "이봐, 당신도 들었지? 공원에 비밀조직이 있다는 게 우습다고들 하잖아."

하지만 라파엘은 코끝을 문지르며 심각한 표정을 지었다. "아니, 오히려 그게 정답일지도 몰라."

"뭐?"

"봐라, 누구나 알법하고 누구에게나 알려진 장소라면, 오히려 그곳이 가장 안전한 장소일 수도 있어. 사람들은 '설마 그런 곳에?'라고 생각하는 순간부터 의심을 멈추니까."

사이먼은 잠시 침묵하다가 고개를 끄덕였다. "말이 되긴 하네. 너무 눈에 띄면 오히려 보이지 않는 법이지."

라파엘이 그를 향해 손가락을 튕겼다. "정확히 그거야. 대중이 웃어넘기는 순간, 이미 그곳은 의심에서 벗어난 거지."

"그럼 이제 문제는…"

"그 5곳 중에 어디로 갈 거냐는 거네."

라파엘은 손목시계를 힐끗 보더니 고개를 들었다. "어느 곳부터 가볼까?"

두 사람은 공항을 빠져나와, 저녁으로 물들어가는 텔아비브의 거리로 걸어갔다. 눈앞에 나타난 해변에서는 서퍼들이 파도를 타고 있었고, 노점상들은 팔라펠과 향신료를 팔고 있었다. 사람들은 저녁 식사를 위해 삼삼오오 모여들었고, 바다에서 불어오는 바람이 후끈했던 공기를 식혀주었다. '어느 공원이 에덴의 그림자를 감히 품고 있을 것인가?'

해변의 파도가 리듬을 타며 부서지고 있었다. 그때, "하이야콘 공원부터 가보자."

"왜 거기부터?" 라파엘은 사이먼을 빤히 쳐다봤다.

"당신이 방금 그러지 않았어? 사람이 가장 많이 드나들고, 가장 눈에 띄는 곳일수록 의심을 피하기 쉽다고. 그리고 하이야콘 공원이 텔아비브에서 제일 큰 공원이잖아."

라파엘이 입을 열려다 멈췄고, 이에 사이먼은 곧바로 주장을 이어갔다. "뭐야, 방금까지 당신이 했던 말도 까먹은 거야? 공원이 너무 작으면 오히려 수상해 보일 거고, 크면 클수록 아무도 의심을 안 하겠지. 영국 의회도 엄청 크잖아? 그런데 그 안에서 무슨 일이 벌어지는지 아무도 모르는걸."

라파엘은 눈을 가늘게 뜨고 사이먼을 노려봤다. "근데, 하이야콘 공원이 다섯 개 중에서 제일 크다는 걸 어떻게 확신하지?"

사이먼이 입을 다물었다.

"네가 제일 크다고 단정 지은 거잖아." 라파엘은 싱긋 웃으며 지나가는 현지인들에게 다가갔다. "실례합니다."

두 사람이 말을 건 사람은 아이스크림을 들고 있던 30대 초반의 이스라엘 남자였다. 반소매 셔츠에 반바지를 입은 그는 덥다는 듯 얼음이 동동 떠 있는 음료를 홀짝이며 고개를 돌렸다. "네?"

"혹시 이 근처에 있는 공원 중에서, 그러니까 하이야콘, 야르콘, 루빈스키, 로스차일드 가든, 그리고 사론 공원 중에서 어디가 가장 큽니까?"

남자는 생각하는 듯 잠시 멈췄다가, 곧 스마트폰을 꺼냈다. "잠시만요. 정확한 면적을 확인해볼게요." 그는 화면을 빠르게 검색하더니, 손가락으로 화면을 가리켰다. "음, 여기 있네요. 가장 큰 건 야르콘 공원입니다. 무려 3,500에이커 정도로, 제일 크죠. 하이야콘 공원도 크긴 하지만 야르콘보다는 작아요. 그다음은 사론 공원, 그리고 루빈스키 정원, 로스차일드 가든이 제일 작네요."

사이먼과 라파엘은 동시에 화면을 들여다봤다. "오, 친절하시네요." 라파엘이 고개를 끄덕였다. "사람들이 가장 많이 몰리는 곳은 어디인가요?"

남자는 웃으며 말했다. "야르콘 공원이 제일 크지만, 관광객이나 현지인들이 가장 많이 찾는 건 사론 공원일 거예요. 카페랑 쇼핑몰도 있고, 분위기가 좋아서요. 하이야콘 공원도 꽤 인기가 많고요."

라파엘이 고개를 끄덕이며 감사 인사를 건넸다. 남자가 다시 음료를 홀짝이며 걸어가자, 사이먼이 라파엘을 흘겨봤다. "그럼, 우리가 가야 할 곳이 어디지?"

라파엘이 입술을 한 번 깨물더니, "야르콘 공원이 가장 넓고, 사론 공원이 가장 붐빈다…"

"야르콘 공원으로 가자." 어느덧, 푸르스름한 어둠이 텔아비브를 덮고 있었다. 도심의 불빛이 번쩍이며 차들이 질주했고, 해변에서는 잔잔한 음악이 흐르고 있었다. 라파엘이 한숨을 쉬었다. "국립공원은 밤에 닫아. 내일 아침에 가자고."

사이먼이 인상을 찌푸렸다. "그럼 왜 어디로 갈지 이야기했냐? 결론은 숙소부터 잡자는 거잖아?"

라파엘이 피식 웃으며 어깨를 으쓱였다. "적어도 이제 방향은 정해졌잖아. 그럼 된 거지."

사이먼은 라파엘을 쏘아보았지만, 피곤이 몰려오는 건 어쩔 수 없었다. 결국, 둘은 텔아비브 거리 한복판에서 서성이며 숙소를 찾기 시작했다. 해변을 따라 걸으니, 고급 호텔들이 꽤 많았다. 유리창이 반짝이는 고층 건물들, 그 아래로 지나가는 시민들, 야자수 사이로 불어오는 따뜻한 밤바람. 사이먼은 적당한 호텔을 발견하고 로비로 들어갔다. "방 하나 주세요. 싱글 베드 두 개."

직원이 컴퓨터를 두드리더니 카드를 건넸다. "7층 777호입니다."

사이먼과 라파엘은 엘리베이터를 타고 올라갔다. 문이 열리자, 카펫이 깔린 복도와 푸른 조명이 그들을 맞이했다.

"그래도 여기 괜찮네." 라파엘이 침대에 몸을 던졌다.

"씻지도 않고 눕다니. 당신은 여자친구도 없었어?" 사이먼은 씻으러 가려다 멈춰 섰다. 이에, 라파엘은 따로 대답하지 않고 침대 위에서 몸을 쭉 폈다. 그리고 금세 일어나더니, "사이먼, 같이 씻자!"

호텔 안에는 호화스러운 온천 시설이 갖춰져 있었다. 조명이 은은하게 빛나는 자쿠지에서 수증기가 피어오르고, 마사지 룸에서는 피부 클리닉을 받을 수 있었다.

사이먼은 어깨를 두드리며 탕 안으로 들어갔다. 따뜻한 물이 몸을 감싸니 피로가 녹아내리는 듯했고, 라파엘은 옆에서 눈을 감고 조용히 숨을 내쉬고 있었다. "할아버지가 죽었을 때도…" 사이먼이 문득 입을 열었다. "그 배후는 네메시스였지."
라파엘이 천천히 눈을 떴다. "그래서 에덴도 궁금해? 정확히 어떻게 갈라선 거지?"
사이먼은 물살을 손끝으로 휘저었다. "네메시스가 악이라면, 에덴은… 덜 악한 건가? 아니면 그들과 대항하는 선인가?"
라파엘이 SMC 천장을 보며 천천히 대답했다. "글쎄다. 선은 아니지 않을까? 만약 그들이 대항했다면, 인신 제사나 아기 유괴, 전쟁, 대형 사고 등등 역사적으로 큰 사건을 막을 수 있지 않았나 싶어서. 최근에는 세계적으로 비행기 사고가 계속 일어나잖아. 헬기가 부딪치는 사고라든가. 조류 충돌이라든가. 실제 드론일 수도 있고, 원격 조정일 수도 있지만."
사이먼은 헛웃음을 지었다. "정확한 조사가 되지도 않으니 뭐. 설령, 사실을 안다고 해도 정부에서 에둘러 발표하면 끝이지."
"그러게…. 그럼, 에덴은 네메시스보다 한 수 위일까?"
물결이 잔잔하게 흔들리고 있었다. "아 계속, 이런 생각만 하니까 현실과 환상의 경계가 무너지는 느낌이야." 사이먼은 천천히 말을 이었다. "내일 우리가 공원에 가면 알겠지? 아니면 그것도 또 우리만의 다른 환상이려나?"
라파엘은 대답하지 않았다. 하지만 그 역시 같은 의문을 품고 있었다. 스파를 마치고 난 후, 둘은 로비를 지나 야외 바가 있는 라운지로 향했다. 야자수 아래 놓인 테이블에는 촛불이 흔들리며, 빛을 뿜고 있었다. "포도주는 별로야." 사이먼이 말했다.

라파엘이 입꼬리를 올렸다. "이스라엘 전통주나 한잔할까?" 그렇게 해서 선택된 술은 아락(Arak). 강한 아니스 향이 나는, 이스라엘의 특별한 증류주였다. 투명한 액체에 물을 타자, 흰 구름처럼 변했다. 사이먼은 잔을 들어 향을 맡으니, 약간의 감초 냄새가 섞인 독특한 향이 코끝을 찔렀다.

"이거 세다." 사이먼이 한 모금 머금으며 얼굴을 찡그렸고, 라파엘도 한 모금 들이켰다. 목을 타고 내려가는 감각이 독특했다. 향긋하면서도 알싸한 맛. 라파엘은 잔을 돌리며 말했다. "내가 알아본 바로는, 에덴 조직은 이런 철학을 가지고 있더군. '통제는 곧 진화의 종착점이다. 우리는 더 나은 자유로운 선택을 통해 스스로를 초월할 수 있다.'"

사이먼이 피식 웃으며 중얼거렸다. "만다라… 그게 종교는 아니지 않나?"

라파엘이 어깨를 으쓱였다. "사람들은 믿음만으로도 움직일 수 있지. 종교든, 철학이든, 사상이든. 중요한 건 그들이 진정으로 어떤 목적이 있느냐지."

사이먼은 천천히 잔을 기울였다. 아락이 혀끝에서 쌉싸름한 흔적을 남겼다. 그리고 한참을 생각하다가 말했다. "그런데, 비밀결사대가 자유와 선택만으로 전 세계의 권력을 쥘 수 있을까? 아니, 그렇다면 네메시스와 한편인가?"

라파엘은 잔을 내려놓았다. "무슨 말이지?"

"네메시스는 권력을 유지하기 위해 철저히 통제하잖아. 직접 봐

놓고선. 죄책감 없이 사람을 죽이고, 악마를 숭배하고, 전쟁을 일으키며 매우 폭력적이지." 사이먼은 테이블에 손가락을 두드렸다. "만약 권력을 쥐는 게 목적이 아니라면, 도대체 그들의 목적은 뭘까?"

둘 사이에 짧은 침묵이 흘렀다. 촛불이 바람에 흔들리며 희미하게 깜빡였다. 그리고 술이 점점 달아올랐다. 라파엘이 입가를 -쓱 닦아내며 말했다. "그만 마시자. 내일 아침도 생각해야지."

777호실로 돌아온 사이먼은 컴퓨터를 켜고 인터넷을 검색하기 시작했다. 이따금 바닷소리가 들려왔고, 라파엘은 침대에 앉아 기지개를 켜고 있었다. "사이먼, 뭘 찾고 있지?"

그는 화면을 뚫어지도록 바라보며 대답했다. "에덴이라는 단어 자체가, 성경으로 따지면… 나무와 관련 있지 않아?"

라파엘이 눈을 가늘게 떴다. "하긴, 에덴동산에 선악과가 있었으니까."

사이먼은 빠르게 페이지를 넘기며 블로그 글을 읽었다. "여기 봐. 하이야콘 공원에 꽤 큰 나무가 있다는 글이 있어."

라파엘이 흥미롭게 다가와 화면을 들여다보았다. "하이야콘? 원래 야르콘을 먼저 가기로 했잖아."

"계획을 좀 바꾸자. 하이야콘부터 가고, 그다음 야르콘, 그리고 샤론."

라파엘이 고개를 끄덕였다. "좋아, 뭐. 어디가 진짜인지는 모르니까. 근데 왜 이렇게 야르콘 공원에 집착하는 거야?"

사이먼은 창밖의 텔아비브 야경을 바라보며 의미심장하게 말했다. "거기가 익숙해. 그 단어가 입에 착 달라붙는다고 해야 할까."

밤이 깊어갔다. 둘은 각자의 침대에 몸을 뉘었고, 창밖에는 도시의 불빛이 반짝이며, 파도가 해변을 부드럽게 감싸고 있었다. 라파엘이 낮은 목소리로 말했다. "내일은 좀 더 진실에 가까워지겠지?"

사이먼은 천장을 바라보며 대답하지 않았다. 그도 모르고 있었다. 내일이 어떤 의미를 지닐지. 그렇게, 깊어가는 텔아비브의 밤 속에서, 두 남자는 조용히 잠에 빠져들었다.

아침 7시 7분. 텔아비브의 하늘은 새벽의 흔적을 걷어내며 옅은 황금빛으로 물들어가고 있었다. 라파엘과 사이먼은 호텔을 나와, 공원으로 향했다. 택시를 탈 수도 있었지만, 걸어가기로 했다. 목적지를 향해 발걸음을 옮길 때마다 도시는 점점 깨어났다. 가게 셔터가 올라가고, 골목을 쓸던 가게 주인의 손길이 분주해지며, 빵집에서는 갓 구운 페이스트리 냄새가 은은하게 번져 나왔다.

사이먼은 중얼거렸다. "에덴. 성경에서 최초의 인간이 존재했던 낙원. 그리고 그 한가운데 서 있던, 신과 인간의 경계를 가르는 나무."

길을 걷던 라파엘은 지나가는 사람들에게 문득 질문을 던졌다. " 혹시, 이 근처 공원 중에서 정말 거대한 나무가 있는 곳을 아시나요?"

이스라엘 사람들은 어깨를 으쓱이며 웃었다. "이스라엘엔 큰 나무가 많아요. 하지만… 하이야콘 공원에는 유독 특별한 나무가 하나 있어요."

그 말에 둘은 눈빛을 주고받았다. 확신이 들었다. 드디어 입구에 도착했을 때, 넓은 초원이 부드러운 곡선을 이루며 펼쳐졌고, 곳곳에 가지를 길게 뻗은 나무들이 있었다. 공원의 길을 따라 나 있는 오솔길은 마치 물결처럼 굽이쳤고, 바람에 흔들리는 잎사귀들이 사각사각 속삭였다. 하늘을 향해 자란 나무들 사이로 햇빛이 쏟아져 내리며, 바닥엔 마치 깨진 유리 조각처럼 빛의 조각들이 살포시 흩어졌다.

벤치마다 사람들이 앉아 있었다. 신문을 읽는 노인, 조깅하는 젊은이, 개를 산책시키는 여성, 손을 꼭 잡은 연인. 어린아이들이 비둘기와 장난을 치며 뛰어다니고, 사이클리스트들이 빠르게 공원 안쪽으로 사라졌다. 공원의 분위기는 너무나 평화로웠다. 어디서든 쉽게 볼 수 있는, 평범한 공원의 모습이었다.

사이먼과 라파엘은 공원 안쪽으로 걸어 들어갔다. 천천히, 주위를 살피며. "특별한 게 보이지 않는데. 그 나무가 어디 있는 거야?" 라파엘이 중얼거렸다.

사이먼은 입술을 질근 깨물며 공원의 풍경을 다시 살폈다. 아무리 둘러봐도 이곳은 너무도 평범했다. 너무나도 일상적인 공원의 모습. 그러나. 사이먼의 시야 끝자락에서 무언가 눈에 띄었다. 먼발치에서, 나무들이 무리를 지어 선 곳 너머로, 그것이 보였다.

"라파엘, 저기!" 라파엘도 그가 가리키는 쪽으로 고개를 돌리자, 그곳에. 거대한 나무가 서 있었다.

태고의 신비를 간직한 채, 그 자리에 뿌리를 내린 거대한 생명체. 수백 년을 살아온 듯한 몸통. 거칠고 굵은 나이테를 품은 채, 위로, 더 위로 뻗어 올라간 가지들. 끝없이 펼쳐지는 잎들이 마치 하늘을 감싸 안는 듯했다. 사이먼은 숨을 들이켰다. "저기다."

그것은 '나무'라기엔 너무 거대했고, '건물'이라기엔 생명력이 넘쳐났다. 마치 성전(聖殿)과도 같은 느낌이었다. 줄기 외벽에는 크고 작은 테라스가 층을 이루듯 붙어 있었고, 수백 년 된 노송의 껍질을 따라 계단과 복도, 발코니 같은 구조물이 조화롭게 섞여 있었다. 특히, 곳곳에 걸린 커다란 열매가 부드러운 황금빛을 뿜어내며, 따뜻한 분위기를 자아냈다. 사람들은 1층 입구를 통해 여유롭게 오가며 황홀한 표정을 지었다. 문득 라파엘이 탄성을 질렀다. "이건… 제3의 성전이야!"

사이먼이 위를 올려다보니. 나무 옥상과도 같은 꼭대기 부분. 그곳에는 하나의 거대한 문양이 새겨져 있었다. 섬세하게 조각된 연꽃 모양. 순간, 그의 뇌리를 스친 기억. 어디선가 본 적이 있었다. 사이먼은 고개를 갸웃하며 중얼거렸다. "…이 문양. 어디서 본 것 같은데."

그때 라파엘이 한 발짝 앞으로 나섰다. "맞아! 상원 의장 서재에 있던 도면이야! 거기에 이스라엘 국기와 함께 그려진 상징이 있었어!" 그는 흥분을 감추지 못하고 주먹을 불끈 쥐었다. "이건 확실해. 에덴의 지부야!"

그들은 마치 신전의 문을 여는 듯한 기분으로 나무의 입구에 섰다. 거대한 둥치 중앙에는 아치형 문이 있었고, 그 위로 빛나는 홀로그램 패널이 떠 있었다. '환영합니다. 에덴의 동산'이라는 메시지가 공중에 나타났다 사라졌다.

자동문이 열리자, 넓은 로비로 들어섰다. 마치 미래 도시에 들어온 것 같았다. 벽면에는 가상현실 화면이 떠 있었고, 천장에는 광섬유로 만든 듯한 나뭇잎들이 빛을 발산하고 있었다. 심지어, 공중에는 드론들이 떠다니며, 조용한 클래식 음악이 공간을 가득 채웠다. 어느새, 그들 앞에는 거대한 홀로그램 안내판이 서 있었다. 사이먼과 라파엘은 그 앞에 서서 내용을 읽었다.

── 나무의 내부 구조 안내 ──

>1층: 루미에르 극장(Lumière Theater) - 최첨단 4D 프로젝션과 인터랙티브 경험을 제공하는 영화관.

>2층: 테아 살롱(Théa Salon) - 하이테크 티하우스, AI 바리스타가 차를 우려내고 감정에 따라 맞춤형 블렌딩 제공.

>3층: 아카샤 데이터센터(Akasha Data Center) - 과학 연구실과 데이터 저장소. 생명공학과 인공지능 연구의 중심지.

>4층: 에덴 뮤지엄(Eden Museum) - 인류의 역사와 미래를 전시하는 초현실적 박물관. 과거와 미래가 동시에 존재하는 듯한 몰입형 전시관.

>5층: 신체 개조 연구소(Transcendence Lab) - 인간의 육체를 초월적인 존재로 개조하는 연구 시설. 생체 공학과 나노 기술로 불멸을 연구하는 곳.

>6층: 공실 - 그림자가 살던 영역.

>7층: 열매 시식 코너(Fruit Tasting Terrace) - '생명의 열매'를 맛볼 수 있는 공간.

라파엘이 눈살을 찌푸리며, "6층은 정보가 왜 저래?"

그들은 다시 안내판을 천천히 살폈다. 사이먼은 3층 '아카샤 데이터센터'라는 곳을 짚으며 말했다. "아카샤... 이건 분명 어떤 기록을 의미하는 거야." 이에 질세라, 라파엘은 7층을 가리키며, "생명의 열매라…. 그게 무슨 과일일까? 사과? 석류? 아니면… 금으로 된 열매라도 주려나." 그때, 부드러운 목소리가 옆에서 들려왔다. "손님, 오늘 상영하는 영화는 특별 상영작입니다."

그 둘은 동시에 돌아보았다. 언제 다가왔는지도 모를 정도로 조용한 발걸음의 안내원. 그녀는 이상할 정도로 하얀 피부에, 창백할 정도로 선명한 붉은 입술을 하고 있었다. 인공적으로 다듬어진 듯한 균형 잡힌 얼굴선은… 거의 AI 로봇 같다고 해도 믿을 법했다.

"오늘 단 하루, 특별히 개봉되는 작품입니다. 두 분께 강력히 추천해 드립니다."

사이먼은 정중히 손을 들어 거절했다. "아니요, 괜찮습—"

"보자!"

사이먼은 어이없다는 듯, 라파엘을 쳐다봤지만, 그는 여전히 신이 난 얼굴로 말했다. "여기가 진짜 에덴 지부라면, 어느 장소든 가봐야 하지 않겠어? 게다가 특별 상영작이라잖아. 우연이란 건 없다고, 사이먼."

"시간도 없는데 무슨 영화야, 대체." 사이먼은 투덜거렸지만, 결국 지갑을 꺼내 들었다. "아, 젠장." 그는 카드를 스캔하고 두 장의 표를 받아들었다.

표를 살펴보자, 영화 제목은 '붉은 손톱', 상영시간은 정확히 77분. "재밌겠는데?" 라파엘이 표를 힐끔 보며 장난스레 말했다.

사이먼은 한숨을 내쉬며 영화관으로 걸어갔다. 외관만 보면 일반적인 상영관 크기였는데, 내부로 들어오자 천장이 높고, 벽이 끝없이 뻗어 있는 듯한 착각이 들 정도였다. "뭐야, 이 크기…?" 사이먼은 나지막이 중얼거렸다.

극장 벽면 전체가 스크린으로 되어 있었고, 좌석도 우리가 아는 영화관과는 달랐다. 관객들이 일렬로 앉는 형태가 아니라, 거의 원형 경기장처럼 배치되어 있었다. 그리고 좌석 하나하나에는 벨트와 비슷한 장치가 부착되어 있었다. 라파엘이 웃으며 말했다. "4D라고 하더니, 좀 더 제대로 된 놀이기구 같네."

사이먼은 마음에 들지 않는다는 듯 주변을 둘러보았다. "뭔가… 너무 과한데. 그나저나 당신이 4D를 알아?"

극장 안에는 이미 몇몇 사람들이 자리 잡고 있었다. 그러나 그들의 태도가 이상했다. 대부분이 몸을 곧게 세운 채, 아무런 대화도 없이 앞을 응시하고 있었다.

"저 사람들 표정 좀 봐." 라파엘이 작은 목소리로 말했다. "꼭… 최면이라도 걸린 것 같지 않아?"

좌석에 앉자마자, 작은 기계 장치가 팔걸이에서 튀어나왔다. 팔목을 부드럽게 감싸며, 약한 진동이 느껴졌다. "뭐야, 이건 또." 사이먼은 팔걸이를 내려다보았다.

"신경 완화 장치입니다." 어느새 다시 나타난 안내원이 미소를 지었다. "4D 체험 중 긴장감을 완화하고, 몰입도를 높이는 역할을 합니다. 편하게 감상해 주세요."

그때, 스크린이 번쩍이며 광고가 시작되었다. 하지만… 광고 영상조차도 이상했다. "새로운 시대가 열립니다." 검은 배경에 초록 글씨가 떠오르고, 그 위로 형체를 알 수 없는 실루엣들이 지나갔다. "당신의 기억, 당신의 미래, 당신의 존재… 우리가 함께 만들어 갑니다."

영상의 화면 속에서 어떤 존재가 모습을 드러냈다. 형체는 인간과 유사했지만, 한쪽 눈이 가려진 듯한 얼굴이었다. 그리고 배경에는 낯익은 문양이 떠올랐고, 사이먼의 심장이 쿵 하고 내려앉았다. 이 문양… 네메시스의 흔적이다.

"이거, 절대 평범한 영화가 아닌데?" 라파엘도 심각한 얼굴로 속삭였고, 사이먼은 심호흡하며 벨트를 단단히 조였다. "끝까지 봐야겠군."

스크린이 깜빡이며 본편이 시작되었다. 어두운 화면. 그리고, 음성이 들렸다. "당신이 자율적으로 이 영화를 선택했습니다." 그 순간, 좌석이 뒤로 기울어졌고, 중력이 변하는 듯한 느낌이 들었다. 사이먼과 라파엘은 본능적으로 손잡이를 꽉 잡았으며, 주위를 둘러보았다. 불과 몇 분 전까지 좌석에 앉아 있던 관객들이 어느새 감쪽같이 사라지고 없었다. 조용했다. 숨소리조차 들리지 않았다. 그 넓은 영화관 안에 남은 건 사이먼과 라파엘, 단 둘뿐이었다.

"…뭐야, 다들 어디 갔지?" 사이먼은 놀란 목소리로 말했다. 분명히 방금까지 여기 앉아 있었는데. 그는 뒷좌석을 확인하려 몸을 돌렸다. 텅 비어 있었다. 그때, 쾅!

뒤쪽 입구 문이 닫혔다. 마치… 잠겼다는 걸 선언하는 소리처럼.

사이먼은 반사적으로 몸을 움츠리며 라파엘을 돌아봤다. "왜 우리 둘밖에 없는 거지?"

라파엘은 대수롭지 않다는 듯 코를 긁적이며 말했다. "고새 나갔나 보지. 뭐, 영화 시작 전에 화장실 다녀오거나, 팝콘 사러 가거나, 별일 아니잖아."

"아니야. 라파엘. 너무 이상하잖아. 상영 시작 직전에 갑자기 전원이 나갔다고?"

"너는 진짜 너무 예민해, 사이먼. 아까도 몇 명밖에 없더구먼. 이 상황을 그저 편하게 즐겨봐. 어차피 이미 돈도 냈잖아."

그때, 스크린이 번쩍이며 영화가 시작되었다. '에덴과 네메시스의 기원' 스크린에는 오래된 필름 같은 흑백 영상이 흐르고 있었다. 1918년, 전쟁이 막 끝난 후, 거리에는 피폐해진 군인들과 굶주린

시민들이 널브러져 있었다. 건물들은 부서졌고, 공기는 절망으로 가득 차 있었다. 그러나, 그 혼란 속에서도 한 무리는 조용히 움직이고 있었다. 검은 망토를 걸친 자들. 네메시스.

화면 속에서 한 동양인 남자가 연단에 섰다. 그의 얼굴은 어두운 그림자로 가려져 있었다. 하지만 목소리는 강렬하고 무게감이 있었다. "1차 세계대전이 끝났다. 프리메이슨 제거 계획은 성공했다. 그러나, 진짜 전쟁은 이제부터다." 그의 말이 끝나자, 군중 속에서는 속삭임이 퍼졌다. "우리가 주인이 되어야 한다. 통제되지 않는 인간은 짐승과 다름없으니, 새로운 질서를 즉각 만들어야 한다."

또 장면이 바뀌었다. 어두운 회의실. 한쪽에는 십자가를 두른 가톨릭 신부들, 다른 한쪽에는 만다라의 상징을 두른 간부들이 앉아 있었다. 한 신부가 나지막이 말했다. "악마를 숭배해야 합니다. 그래야 구원자가 오지요. 우리는 새로운 세상을 창조해야 합니다." 이에 맞서는 간부들, "지금처럼 폭력적인 방법은 그만해야 합니다. 세례명을 부여하는 일도 당장 멈추시오." 그 순간, 화면이 번쩍이며 다음 장면으로 넘어갔다.

사이먼은 찜찜한 기분을 떨칠 수 없었다. "…라파엘, 이거 네메시스에 대해 대놓고 알려주는데? 사람들이 음모론이라고 생각해서 그런가 봐."

라파엘은 스크린에서 눈을 떼지 않은 채 중얼거렸다. "뭐. 그렇겠지. 4D라 그런가, 연출이 사실적이긴 하다. 봐봐. 전쟁이 끝났어. 근데 사람들이 너무 많고, 먹을 것도 부족하고, 사회는 혼란스럽고… 기득권 입장에서는 골치 아프겠지? 그러니까, 또다시 통제할 필요가 있었을 거야."

씁쓸한 표정을 지은 사이먼은 "그 방법이… 파시즘이었다는 거잖아."

"그렇겠지." 라파엘은 무심히 대꾸했다.

"근데 그럼 에덴은 뭐야?" 사이먼은 다시 스크린을 바라보자, 장면이 또 전환되었다. 1920년대 유럽. 유대인 회당에서, 몇몇 남자들이 비밀스럽게 모여 있었다. 한 사내가 조용히 말했다. "그들과의 연합은 끝났다. 이제, 그들은 우리도 말살하려 한다. 지금이라도 맞서야 한다!" 한 장로가 무겁게 고개를 끄덕였다. "네메시스의 파시즘을 막으려면, 우리는 자유 민주주의를 퍼뜨려야 한다." 그 말이 떨어지는 순간, 화면은 빠르게 변했다. 하늘에서 신문이 쏟아졌다. '미국, 새로운 시대의 개막 - 대통령 선거 민주주의의 승리' '독일의 나치, 점점 세력을 넓히는 데 성공하다.' '유럽, 파시즘과 자유 민주주의 대결'

"봐봐." 라파엘이 손가락으로 스크린을 가리켰다. "반대파는 거꾸로 자유를 퍼뜨린 거야. 같은 팀이었는데 싸우고 앉았네. 이제부터 서로 죽여라. 이거 같은데? 이게 진실이었네."

사이먼은 조용히 고개를 끄덕였다. 그리고 "출발합니다." 안내 음성이 울리자, 의자가 덜컹 움직였다.

"제거하라." 거대한 목소리가 영화관을 울리는 순간, 좌석이 앞뒤로 흔들리며, 그들의 몸이 앞으로 확 쏠렸다. 스크린 속에서는 웅장한 회의실이 비치고 있었다. 붉은 휘장이 드리워진 공간, 긴 테이블 너머로 검은 정장을 입은 인물들이 앉아 있었다. "우리는 배신자를 두고 볼 수 없다." 카메라가 그들 사이를 훑었다. 한 남자가 자리에서 천천히 일어나더니, "그들이 우리와 함께할 생각이 없다면—전멸시켜야 한다." 그리고 화면이 바뀌었다.

나치 독일. 히틀러의 연설. 군복을 입은 SS 대원들이 일제히 거수경례했다. 하지만 그 뒤편, 그림자 속에서 지켜보는 또 다른 무리. 검은 정장을 입은 자들—동양의 아시아 얼굴들.

"네메시스가 결국, 파시즘을 반대하는 자들을 숙청하기 위해 전쟁을 선택했군."

영화 속, 유대인들이 필사적으로 도망치고 있었다. 기차 안, 수용소, 비밀 지하 벙커. 아이를 끌어안은 어머니, 머리를 감싼 노인.

"네메시스는 그들이 어디에 숨었든 찾아낼 것이었다."

스크린이 다시 바뀌었다. 밤하늘 아래, 불길이 치솟는 광경. 한 장교가 전방을 가리켰다. "만다라를 모두 지워라." 그리고 총성이 울렸다. 스크린에서 거대한 폭발이 일어나며, 의자가 격렬하게 흔들렸다. 사이먼과 라파엘은 마치 실제 전장 한가운데 있는 듯했다. 공습경보가 울리고, 하늘에서는 폭격이 쏟아졌다. 불길이 번지고, 연기가 피어오르니, 굉음. 대기 중의 화약 냄새가 영상을 뚫고 나오는 것만 같았다.

"와, 진짜 실감 나는데?"

전장 속, 나치의 깃발이 휘날렸다. 하지만 그 뒤로 희미하게 겹쳐 보이는 또 다른 문양. 붉은 오각별.

"잠깐…" 라파엘이 눈을 가늘게 떴다. "이거 뭐야?"

내레이션, "네메시스에게 전쟁의 패배는 중요치 않았다. 전쟁으로 더 큰 이득을 보았기 때문이다. 경제, 산업, 금융을 모두 독점했고 2차 세계대전이 종료됐다. 더 강력한 것이 있음을. 바로, 믿음과 사상이었다."

화면이 바뀌었다. 1917년 러시아. 혁명의 불길이 도시를 집어삼켰다. 공산당 깃발이 성난 파도처럼 휘몰아쳤고 그 한가운데, 마르크스와 레닌의 얼굴이 떠올랐다. 그 순간, 의자가 휘청하며 급격히 뒤로 젖혀졌다. 사이먼과 라파엘은 허공에 붕 떠오르는 느낌이 들었다. "젠장!" 사이먼이 안전띠를 잡았다. 눈앞이 검어졌다가 다시 밝아지자, 스크린 속에는 새로운 세계가 펼쳐졌다. 소련. 중국. 동유럽. 수많은 국가가 공산주의 깃발 아래 줄지어 있었다.

"그들은 대신, 체제를 신봉하는 독재자들을 만들었다."

라파엘이 낮게 휘파람을 불었다. "반대파인 만다라를 완벽히 제거한 후, 파시즘을 버리고, 공산주의로 갈아탔다?"

사이먼은 미간을 찌푸렸다. "역사를 이렇게까지 노골적으로 설명하는 영화가 어디 있다고 생각해?"

갑자기 어느 도시의 야경이 펼쳐졌다. 붉은 깃발이 바람에 펄럭이고, 광장에서 군중들이 일제히 구호를 외쳤다. 장면이 서서히 확대되더니, 한 문장이 선명히 떠올랐다.

"1. 지속적인 사회변화로 혼란을 조성하라", 전염병으로 전 세계를 공포로 몰아넣어라. 도시가 봉쇄되고, 사람들은 집 안에 갇혔다. 동시에, 미디어는 끝없이 가짜뉴스를 쏟아냈다. 광장에 촛불이 가득했다. 수천 명이 촛불을 들고 거리를 메웠다. 사람들의 얼굴에는 분노가 서려 있었다. "진실을 요구한다!"

군중의 함성이 터졌다. 그러나 그 뒤편, 그림자 속에서 누군가 미소 짓고 있었다. 조용히, 질서를 무너뜨리는 자들.

"2. 학교와 교사의 권위를 무너뜨려라", 칠판 앞, 한 교사가 학생들에게 소리쳤다. "이건 규칙이야! 선생님 말씀 들어야지!" 그러나 학생들은 아랑곳하지 않으며 비웃었다. "우릴 강요하지 마세요. 우리도 권리가 있어요! 인권이 있어요!" 장면이 클로즈업되었다. 한 법안이 통과되는 모습. - '학생 인권조례' 시행 및 교사의 체벌 금지. 그 이후로, 교실은 점점 혼란스러워졌다. 선생님들은 손발이 묶였고, 학생들은 통제되지 않았다.

"3. 가족을 해체하라", 한 아이가 경찰서에 앉아 있었다. 그의 눈은 꽤 불안했다. "부모님이 저한테 소리쳤어요. 신고하면 된다고 했어요." 한 여성이 미소 지었다. "그렇지. 너도 보호받아야 해." 장면이 바뀌었다. 광고판 위에 '일부다처제 합법화'가 적힌 문구가 번쩍였다. 그리고 페미니즘 집회의 연설, "가족이 꼭 필요하다고 누가 정했죠? 결혼 제도는 해체되어야 합니다! 4B운동을 지지합니다!" 환호성이 터졌다. 마찬가지로 뒤편에서는 검은 그림자들이 흐릿한 미소를 짓고 있었다.

"4. 어린이들에게 동성애 교육을 시행해라.", 유치원 교실. 아이들이 옹기종기 앉아 있었다. 칠판에는 커다란 그림이 액자로 걸려 있다. 성 정체성과 관련된 복잡한 개념들. "자, 얘들아. 남자가 남자를 사랑할 수도 있고, 성기를 항문에 넣어도 아무렇지 않은 거야. 심지어, 여자가 여자를 사랑할 수도 있어." 어린아이가 손을 들었다. "그런데 아빠가 그런 얘기는 안 된다고 했어요." 교사가 미소 지었다.

"아빠보다 우리가 더 잘 알아."

"5. 교회를 해체하라", 어둠 속에서 거대한 십자가가 무너지고, 법안이 통과되었다. - '교회폐쇄법' 발효 및 종교 시설 등록제 시행. 신도들이 울부짖었다. "이건 신성 모독이야!" 그러나 그들의 목소리는 점점 희미해질 뿐이었다.

"6. 대량이주와 이민으로 민족 정체성을 파괴하라", 수많은 배가 항구로 들어왔다. "국경은 없다! 기득권이 만든 경계일 뿐이다. 모두에게 자유를!" 피난민들이 거리로 쏟아졌다. 사회는 점점 변했다. 그리고, 본래의 문화는 사라졌고, 어느덧 세금을 내던 원주민들은 2등 시민이 되었다. 그리고 그들은 점차, 자신의 나라에서도 핍박받으며 살아간다.

"7. 인종차별을 범죄로 규정하라", 법정. 한 남자가 서 있었다. "난 단지 의견을 말했을 뿐입니다!" 판사가 서늘한 목소리로 말했다. "당신은 혐오 발언을 했어요. 차별금지법 위반입니다." 그의 손목에 수갑이 채워졌다.

"8. 사법 시스템을 신뢰할 수 없도록 만들라", 검찰청 내부. 서류들이 찢어지고 있었다. "이제 판사는 우리 법 연구소의 해석을 기준으로 판결해라." 사법부는 국민을 위한 기관이 아니었다.

"9. 복지정책을 강화해 국가보조금에 의존케 하라", "우리는 모두를 위해 복지를 확대할 것입니다!" 포퓰리즘 정책이 줄줄이 쏟아졌다. 사람들은 국가에 더욱 의존했고, "일하지 않아도 돈이 나온다!" 그러나 국가의 빚은 하염없이 늘어나고 있었다. 곧 국가와 가계는 부도나기 직전이었고, 그림자는 점점 이 나라를 장악해나간다.

“10. 언론을 조종하고 대중매체 수준을 떨어뜨려라”, 뉴스 스튜디오. ″오늘도 공정한 뉴스 전달하겠습니다.″ 그러나 카메라 뒤에서, 몇몇 사람들이 원고를 수정하고 있었다. ″이건 빼고, 저건 강조하세요.″ 스크린에 떠오른 뉴스 속보. ″사실이 중요하지 않습니다. 사람들이 믿게 만드는 것이 중요합니다. 거짓말도 계속하면 진실이 됩니다.″

“11. 과도한 음주와 마약을 퍼뜨려라”, 클럽. 음악이 울려 퍼졌다. ″마셔라! 마셔라! 베스킨라벤스 써리원.″ 광고판이 반짝였다. - ‘즐거운 인생, 술과 함께’, 사람들이 술과 마약에 취해, 거리에 쓰러졌다. 그러나 그들 뒤편에는 한 무리의 사람들이 있었다. 그들은 여전히 해맑게 웃고 있었다. 그리고 스크린이 어두워지더니, 마지막 한 문장이 떠올랐다. “세상은 서서히, 그러나 확실하게 바뀌고 있다. 하지만, 그들은 그 변화를 여전히 알아차리지 못한다.”

꺼진 줄만 알았던 스크린이 금세 빛을 발하며, 강렬한 필름 장면들이 번쩍였다. 사이먼과 라파엘은 다시 의자에 몸을 묻은 채, 그 화면에 빨려 들어가듯 몰입했다. 스크린에는 1948년 이스라엘의 전경이 떠올랐다. 잿빛 하늘 아래 깃발을 흔드는 군중. 그리고 그 한가운데, ‘에덴 지부 설립’이라는 글자가 떠올랐다.

라파엘이 낮게 중얼거렸다. “이게… 에덴의 시작이라고?”

카메라는 급격히 줌아웃되며, 세계지도가 떠올랐다. 네메시스는 위에서 소개한 11가지 법칙으로, 나라마다 공산주의를 퍼뜨렸다. 그 이념은 하나의 독재자만 조종하면, 국민을 통제하기 너무나 쉽기 때문이다. 네메시스에게는 안성맞춤이었다. 반대로 에덴은 미국과 손잡고 자유 민주주의라는 이름 아래 또 다른 이념을 전파했다. 이념의 대립 속에서 냉전이 시작되었고, 세계는 두 개의 거대한 흐름으로 갈라졌다.

흑백 뉴스릴이 돌았다. 스탈린, 마오쩌둥, 김일성. 이들은 모두 네메시스의 조종을 받는 꼭두각시들이었다. 그 뒤로 총구를 들고 행진하는 군대, 붉게 물든 거리, 선동 연설을 하는 독재자들의 얼굴이 지나갔다. 화면이 곧 반전되었다. 초록빛이 도는 자유 민주주의 국가들. 백악관, Knesset(이스라엘 의회), 일본, 남한.

스크린은 다시 18세기로 거슬러 올라갔다. 한 고풍스러운 도서관, 촛불 아래서 속삭이는 남자들. 유대인 고위층 일부가 네메시스에서 이탈하며, 세례명 강요, 무차별적인 인구 감축, 전쟁계획에 반발하는 모습이 다시 그려졌다. 그들의 결론은 하나였다. '우리는 새로운 세력을 만들어야 한다. 힘이 아닌, 자유로!'

그들은 그렇게 네메시스의 반발심을 사서, 2차 세계대전 때 각 나라로 흩어졌지만, 유대인 특유의 힘으로 일어설 수 있었다. 그리고 이곳 이스라엘 그리고 하이야콘 공원에서 그들의 비밀결사대가 활약 중이다.

검은 화면 위로 서서히 이름들이 떠오르기 시작한다.

"감독: 이스카리옷 유다"

"각본: 가룟 유다, 가야바, 사울에서 바울로"

"제작: 솔로몬, 아히도벨, 요압"

"고문: 가인, 니므롯, 아론"

그리고, 검은 화면 위로 의미심장한 문구가 떠올랐다. “현대 사람들은 자본의 흐름과 이념적 대립으로만 생각한다. 즉, 그들은 자유민주주의와 공산주의, 또는 자본주의와 사회주의의 대립이라고 믿을 뿐이다.”

글자가 천천히 사라졌다. 천장의 미세한 불빛이 차례로 켜지며, 극장이 점점 밝아졌다. 스크린에 갇혀 있던 세계가 끝나자, 현실이 다시 그들을 덮쳐왔다. 라파엘이 먼저 자리에서 일어났다. “사이먼. 너도 직접 겪은 것처럼 느껴지지 않아?” 그는 좌석 팔걸이에 올려둔 손을 거칠게 털었다. 마치 머릿속에 엉켜 있는 생각들을 물리적으로 털어내고 싶다는 듯이.

“네메시스와 에덴. 이 두 세력이 세계 곳곳에서 싸우고 있다고 생각해봐. 그럴 수도 있잖아?”

사이먼은 여전히 자리에서 일어나지 않았다. 그의 눈동자는 잔잔했다. 마치 깊은 바닷속에서 형체를 알 수 없는 무언가가 떠다니는 것처럼.

“아니.” 목소리는 단호했고, 그의 시선은 여전히 스크린에 머물고 있었다. “네메시스는 절대 악이야. 그건 부정할 수 없어.” 라파엘이 입을 열려고 했지만, 사이먼은 말을 이어갔다. “그럼, 네메시스에 맞서는 에덴은 뭐가 될까? 같은 악? 그럴 리 없어. 지금 미국이 유지하는 체제야.” 그의 눈이 번들거렸다. “에덴은 선이야!, 악에 맞서 싸우는 유일한 정의야.”

라파엘은 그의 눈빛을 보고 어딘가 섬뜩한 기분이 들었다. “너 미쳤어? 이건 영화야. 그리고 가문에 대한 개인적 복수심을 엮지 마.

에덴이 정말 선이라고 생각해?"

사이먼이 자리에서 일어나면서, 코웃음을 쳤다. 그의 눈빛에는 흔들림이 없었다. "네메시스가 만든 세상을 봤잖아. 전쟁, 학살, 통제. 강요. 심지어, 임무를 마치지 못한 자 또는 배신한 사람들이 당하고 있는 모습까지. 세례명대로 처리하는 게임처럼 즐기는 악마 숭배자들이라고!" 그는 주먹을 불끈 쥐었다. "하지만 에덴은 달라. 최소한 싸우고 있어. 최소한 인간을 보호하려 해."

라파엘은 혀를 찼다. "겨우, 영화 따위에 세뇌당할 거야?"

사이먼이 천천히 고개를 돌리며, 미소를 지었다. "아니. 나는 진실을 본 거야."

이건 분명 이상했다. 사이먼은 본능적으로 자신을 방어하는 사람이었다. 그런 그가… 영화 한 편을 보고 이렇게 바뀔 리가 없었다. 그렇다면— 라파엘의 눈이 좁아졌다. "좋아. 그럼 직접 확인해 보자. 여기, 에덴도 조사해보면 알겠지."

"좋아. 해보자고. 우리 프리메이슨의 가문을 제거한 네메시스와 얼마나 다른지 직접 보자고."

<깨어있으라: 어둠 속의 부름>

1919. 01. 01.

"내 후손들아" - 너희에게 전하려는 일기는 단지 문자가 아니다.
이것은 경고이자, 깨어있는 자만이 받아들일 수 있는 진리다.
이 일기를 열었을 때, 너희는 공포를 느낄 수도 있고,
혹은 그저 고리타분한 이야기에 지나지 않는다고 치부할 수도 있겠지.

그러나, 너희가 대가를 치르지 않는다면, 결코 알 수 없는 것이다.
시간을 뛰어넘어 너희에게 전하고자 하는 말은,
삶과 죽음의 사이에서 갈팡질팡하는 존재들에 대한 이야기뿐만은 아니다.

깨어 있으라!
집 주인이 언제 돌아올지, 저물 때가 언제일지, 밤중인지, 닭이 울 때인지, 혹은 새벽인지,
그 시간을 너희는 절대 알지 못함이라.
그리고 그 순간이 오면, 너희가 그때까지 살아 있다면, 그때까지 의식이 있다면,
너희는 그 모든 것이 얼마나 절박했는지, 절실히 깨닫게 될 것이다.

마지막으로, 나는 다시 한 번 말한다.
내 후손들아, 언제나 깨어 있어라.
그것이 너희를 구할 유일한 방법이다.

할아버지, 이 편지는 당신이 계시는 곳까지 닿을 수 있을까요? 혹시 당신이 살아 계셨다면, 이 모든 걸 미리 알고 계셨을 거란 생각이 듭니다. "깨어있으라. 집주인이 언제 오는지, 혹 저물 때인지, 밤중인지, 닭이 울 때인지, 새벽인지 너희가 알지 못함이라." 이 문구를 조금은 이해할 수 있을 것 같습니다.

할아버지, 우리 가문에서 저는 혼자입니다. 그날, 아버지와 어머니도 그들에게 당했습니다. 네메시스라는 어둠이 우리 가문을 짓이겼습니다. 너무나 늦게 알았습니다. 그들은 단 한 줌의 자비도 없이, 피 한 방울마저 조롱했습니다. 그리고 그들의 손길이 저까지 뻗쳐왔습니다.

저는 죽었는지도 모르겠습니다. 적어도 공식적으로는요. 일기장으로 늘 경고하셨던 그 순간이, 이렇게까지 날카롭게 다가올 줄은 몰랐습니다. 우리는 깨어있어야 했습니다.

할아버지, 한편으로 라파엘을 모두 신뢰할 수 없습니다. 그는 제 곁에 있지만, 그의 말이 전부 진실일지 의심이 듭니다. 그는 때때로 너무 많은 것을 알고 있습니다. 또 때로는, 아무것도 모르는 척합니다. 그리고 하나 더 이상한 것이 있습니다. 우리는 2025년에 살고 있는데, 왜 저는 자꾸 1930년대 같은 느낌이 드는 걸까요?

거리의 공기는 너무 무겁고, 사람들의 얼굴에는 이유를 알 수 없는 불안이 떠 있습니다.

이념의 대립은 점점 뚜렷해지고, 누군가는 절대적인 힘을 가지려 합니다. 어둠은 전쟁을 준비하고 있고, 그 속에서 사람들은 진실을 보지 못한 채, 하나둘씩 사라져갑니다.

마치, 우리가 역사의 거대한 소용돌이 속에서 똑같은 잘못을 반복하고 있는 것만 같습니다.
할아버지 비록, 우리 가문도 그들과 크게 다른 바는 없었지만, 저라도 깨어있겠습니다. 그리고 이 싸움이 저를 어디까지 데려갈지 모르겠습니다. 우선, 에덴은 믿습니다. 그저, 당신의 마지막 말처럼. "깨어있으라." 그 한마디를 마음에 품고, 네메시스에게 복수하겠습니다. 할아버지, 부디 저를 지켜봐 주세요.
-당신의 손자, 사이먼 드림.-

일기장의 마지막 부분은 찢겨 있다. 누군가 일부러, 중요한 부분을 찢어 없앤 것처럼. 할아버지는 그날 밤 무엇을 보았던 걸까? 네메시스? 아니면… 사이먼은 고개를 들었다. 창밖으로 보이는 공원. 평온한 공동체처럼 보이지만, 어딘가 모르게 기계적인 리듬으로 움직이는 사람들.
그 시각, 뉴욕 피죤 뉴스 본사, CEO 캐서린 밀스는 모니터 화면을 바라봤다.
[긴급] "백신 접종 후 실종된 666명의 행방은?"
[속보] "한국과 미국, 동시에 터진 탄핵사태 - 배후에 숨겨진 진실은?"
캐서린은 손가락을 까닥이며 기사를 빠르게 넘겼다. 뉴스 속 인물들의 얼굴이 차례로 떠올랐다. 화면 속, 단상에서 연설하는 미국과 한국 대통령. 국회 앞에서 아수라장이 된 한국 시위대. 그리고… 보호복을 입은 채 환자를 이송하는 의료진. - 너무 빠르고 신속하다.

마치 누군가 철저히 설계한 사건처럼.

그녀는 천천히 몸을 뒤로 기댔다. 의자 등받이가 삐걱거렸다. 그리고 서서히 미소를 지었다. 화면에는 계속해서 새로운 속보가 올라오고 있었다.

갑자기, 전화벨이 울렸다. 높은 나무가 있는 곳. 초록빛 문이 천천히 열렸다. “전, 남자친구 사이면 그레이.”그의 목소리는 깊숙한 어둠 속에서, 천천히 걸어 나오는 것만 같았다. 그는 모든 것을 알고 있는 듯한 태도로 나에게 말했다. 그가 아직 모르는 것이 있다면, 할아버지의 일기장에 남겨진 부분이었을까? 아니면, 그가 가장 믿고 싶었던 그 단체.

에덴은 지금 무슨 일을 벌이는 걸까?